LA CHAMBRE BLEUE

Georges Simenon

LA CHAMBRE BLEUE

Roman

PRESSES DE LA CITÉ

ISBN 2-258-06112-1

1

— Je t'ai fait mal ?

— Non.

— Tu m'en veux ?

— Non.

C'était vrai. A ce moment-là, tout était vrai, puisqu'il vivait la scène à l'état brut, sans se poser de questions, sans essayer de comprendre, sans soupçonner qu'il y aurait un jour quelque chose à comprendre. Non seulement tout était vrai, mais tout était réel : lui, la chambre, Andrée qui restait étendue sur le lit dévasté, nue, les cuisses écartées, avec la tache sombre du sexe d'où sourdait un filet de sperme.

Etait-il heureux ? Si on le lui avait demandé, il aurait répondu oui sans hésiter.

L'idée ne lui venait pas d'en vouloir à Andrée de lui avoir mordu la lèvre. Cela faisait partie d'un tout, comme le reste, et, debout, nu lui aussi, devant le miroir du lavabo, il tapotait sa lèvre avec la serviette imbibée d'eau fraîche.

— Ta femme va te poser des questions ?

— Je ne crois pas.

— Elle t'en pose parfois ?

Les mots n'avaient guère d'importance. Ils parlaient pour le plaisir, comme on parle après l'amour, le corps encore sensible, la tête un peu vide.

— Tu as un beau dos.

Quelques taches roses étoilaient la serviette et, dans la rue, un camion vide rebondissait sur les pavés. Des gens parlaient, à la terrasse. On distinguait des mots par-ci par-là, qui ne formaient pas des phrases et ne voulaient rien dire.

— Tu m'aimes, Tony ?

— Je crois...

Il plaisantait, mais sans sourire, à cause de sa lèvre inférieure qu'il tamponnait toujours avec le linge mouillé.

— Tu n'en es pas sûr ?

Il se retourna pour la regarder et cela lui fit plaisir d'apercevoir cette semence, qui était la sienne, si intimement mêlée au corps de sa compagne.

La chambre était bleue, d'un bleu de lessive, avait-il pensé un jour, un bleu qui lui rappelait son enfance, les petits sachets d'étamine emplis de poudre bleue que sa mère diluait dans le baquet à lessive avant le dernier rinçage du linge, juste avant d'aller l'étendre sur l'herbe luisante du pré. Il devait avoir cinq ou six ans et il se demandait par quel miracle la couleur bleue pouvait rendre le linge blanc.

Plus tard, bien après la mort de sa mère dont le visage devenait déjà flou dans sa mémoire, il s'était demandé aussi pourquoi des gens aussi pauvres qu'eux, vêtus d'habits rapiécés, attachaient tant d'importance à la blancheur du linge.

Y pensait-il en ce moment ? Il ne le saurait que plus tard. Le bleu de la chambre n'était pas seulement le bleu de lessive, mais aussi le bleu du ciel par certains chauds après-midi d'août, un peu avant que le soleil déclinant le teinte de rose, puis de rouge.

On était en août. Le 2 août. L'après-midi était avancé. A cinq heures, des nuages dorés, d'une légèreté de crème fouettée, commençaient à monter au-dessus de la gare dont la façade blanche restait dans l'ombre.

— Tu pourrais passer toute ta vie avec moi ?

Il n'avait pas conscience d'enregistrer les mots. Pas plus que les images ou les odeurs. Comment aurait-il deviné que cette scène, il la revivrait dix fois, vingt fois, davantage encore, chaque fois dans un état d'esprit différent, chaque fois vue d'un autre angle ?

Pendant des mois, il s'efforcerait de retrouver le moindre détail, pas toujours de son plein gré, mais parce que d'autres l'y obligeraient.

Le professeur Bigot, par exemple, le psychiatre désigné par le juge d'instruction, insisterait, attentif à ses réflexes :

— Elle vous mordait souvent ?

— C'est arrivé.

— Combien de fois ?

— Nous ne nous sommes retrouvés, en tout, que huit fois à l'Hôtel des Voyageurs.

— Huit fois en un an ?

— En onze mois... Oui, onze, puisque tout a commencé en septembre...

— Combien de fois vous a-t-elle mordu ?

— Peut-être trois ou quatre.

— Pendant l'acte ?

— Je crois... Oui...

Oui... Non... Aujourd'hui, en fait, cela s'était passé après, alors que, détaché d'elle, il restait sur le flanc, à la regarder à travers ses cils mi-joints. La lumière qui les enveloppait tous les deux l'enchantait.

L'air était chaud, dehors, sur la place de la Gare, chaud aussi, d'une chaleur vivante, qui semblait respirer, dans la chambre que le soleil frappait en plein.

Il n'avait pas fermé complètement les volets, laissant entre eux une fente d'une vingtaine de centimètres, de sorte que, par la fenêtre ouverte, ils entendaient les bruits de la petite ville, les uns confus, formant comme un chœur lointain, les autres proches et distincts, bien détachés, les voix des clients de la terrasse, par exemple.

Tout à l'heure, pendant qu'ils se livraient sauvagement à l'amour, ces bruits les atteignaient, formaient un tout avec leurs corps, leur salive, leur sueur, le blanc du ventre d'Andrée et le ton plus coloré de sa peau à lui, le rai de lumière en forme de losange qui coupait la chambre en deux, le bleu des murs, un reflet mobile sur le miroir et l'odeur de l'hôtel, une odeur restée campagnarde, celle du vin et des alcools servis dans la première salle, du ragoût qui mijotait dans la cuisine, du matelas enfin, au crin végétal un peu moisi.

— Tu es beau, Tony.

Elle le lui répétait à chaque rencontre, toujours au moment où elle restait étendue et où il allait et venait dans la chambre, fouillant la poche de son pantalon jeté sur une chaise à fond de paille pour y prendre ses cigarettes.

— Tu saignes encore ?

— C'est presque fini.

— Que lui répondras-tu, si elle te questionne ?

Il haussait les épaules, ne comprenait pas qu'elle se tracasse. Pour lui, dans l'immédiat, rien n'avait d'importance. Il se sentait bien, en harmonie avec l'univers.

— Je lui dirai que je me suis cogné... A mon pare-brise, par exemple, en freinant trop brutalement...

Il allumait sa cigarette qui avait un goût particulier. Quand il reconstituerait cette entrevue, il se souviendrait d'une autre odeur, celle des trains, qu'on parvenait à isoler des autres. Un train de marchandises manœuvrait derrière les bâtiments de la petite vitesse et la locomotive lançait parfois de brefs coups de sifflet.

Le professeur Bigot, qui était roux, petit et maigre, avec d'épais sourcils en bataille, insisterait :

— L'idée ne vous est pas venue qu'elle le faisait exprès de vous mordre ?

— Pourquoi ?

Plus tard, maître Demarié, son avocat, reviendrait à charge.

— Je pense qu'on pourrait tirer parti de ces morsures...

Encore une fois, comment y aurait-il pensé alors qu'il n'était occupé qu'à vivre ? Pensait-il à quoi que ce fût ? Si oui, c'était à son insu. Il répondait à Andrée sans réfléchir, du bout des lèvres, sur un ton léger, enjoué, persuadé que les mots qu'il lançait ainsi n'avaient aucun poids, à plus forte raison qu'ils n'allaient pas se graver dans l'espace.

Un après-midi, au cours de leur troisième ou quatrième rendez-vous, après lui avoir dit qu'il était beau, Andrée avait ajouté :

— Tu es si beau que j'aimerais faire l'amour avec toi devant tout le monde, en pleine place de la Gare...

Il avait ri, sans pourtant être très surpris. Il ne lui déplaisait pas, lorsqu'ils s'étreignaient, de garder un certain contact avec le monde extérieur, avec les bruits, les voix, la vibration de la lumière et jusqu'aux pas sur le trottoir, aux chocs de verres sur les guéridons de la terrasse.

Un jour, une fanfare était passée et ils s'étaient amusés à rythmer leurs mouvements sur la musique. Une autre fois, quand un orage avait éclaté, Andrée avait tenu à ce qu'il ouvre tout grands la fenêtre et les volets.

N'était-ce pas un jeu ? En tout cas, il n'y avait pas vu malice. Elle était nue, couchée en travers du lit dans une pose volontairement impudique. Elle le faisait exprès, la porte de la chambre à peine franchie, de se montrer aussi impudique que possible.

Il lui arrivait, alors qu'ils venaient de se dévêtir, de murmurer avec une fausse innocence qui n'essayait pas de le tromper et qui faisait partie du jeu :

— J'ai soif. Tu n'as pas soif, toi ?

— Non.

— Tu auras soif tout à l'heure. Sonne donc Françoise et commande à boire...

Françoise, la servante, avait une trentaine d'années et servait dans les cafés ou les hôtels depuis l'âge de quinze ans, de sorte qu'elle ne s'étonnait de rien.

— Oui, monsieur Tony ?

Elle disait monsieur Tony, car il était le frère de son patron, Vincent Falcone, dont le nom était peint sur la devanture et dont on entendait la voix sur la terrasse.

— Vous ne vous êtes pas demandé si elle n'agissait pas ainsi dans un but déterminé ?

Ce qu'il était en train de vivre, une demi-heure, pas même, quelques minutes de son existence, serait décomposé en images, en sons détachés, passé à la loupe, non seulement par les autres mais par lui.

Andrée était grande. Sur le lit, cela n'apparaissait pas, mais elle avait trois ou quatre centimètres de plus que lui. Elle avait, bien que du pays, les cheveux bruns, presque noirs, d'une Méridionale ou d'une Italienne, qui tranchaient sur une peau blanche et lisse chatoyant sous la lumière. Son corps était un peu lourd, ses formes pleines, et sa chair, surtout les seins et les cuisses, avait une fermeté onctueuse.

A trente-trois ans, il avait connu de nombreuses femmes. Aucune ne lui avait donné autant de plaisir qu'elle, un plaisir total, animal, sans arrière-pensées, auquel ne succédait ni dégoût, ni gêne, ni lassitude.

Au contraire ! Après deux heures passées à obtenir le maximum de jouissance de leurs deux corps, ils restaient nus l'un et l'autre, prolongeant leur intimité charnelle, savourant l'harmonie établie, non seulement entre eux, mais avec tout ce qui les entourait.

Tout comptait. Tout avait sa place dans un univers vibrant, même la mouche posée sur le ventre d'Andrée, que celle-ci observait avec un sourire repu.

— C'est vrai que tu pourrais passer toute ta vie avec moi ?

— Bien sûr...

— Si sûr que ça ? Tu n'aurais pas un peu peur ?

— Peur de quoi ?

— Tu imagines ce que seraient nos journées ?

Ces mots-là aussi reviendraient, si légers aujourd'hui, si menaçants dans quelques mois.

— On finirait par s'habituer, murmurait-il sans réfléchir.

— A quoi ?

— A nous deux.

Il était pur, innocent. Seule comptait l'heure présente. Un mâle vigoureux, une chaude femelle venaient de se saouler d'eux-mêmes et, si Tony en restait endolori, c'était un endolorissement sain et savoureux.

— Tiens ! Voilà le train...

Ce n'était pas lui qui avait parlé. C'était son frère, dehors. Les mots n'en avaient pas moins frappé Tony qui, machinalement, se dirigeait vers la fenêtre, vers la fente de lumière ardente entre les volets.

Pouvait-on le voir du dehors ? Il ne s'en souciait pas. Sans doute que non, car, de l'extérieur, la chambre devait paraître obscure et, comme ils étaient au premier étage, on ne découvrait que son torse.

— Quand je pense au nombre d'années que j'ai perdues par ta faute...

— Ma faute ? répétait-il gaiement.

— Qui est-ce qui est parti ? Moi ?

Dès l'âge de six ans, ils allaient à l'école ensemble. Il avait fallu attendre qu'ils aient passé la trentaine et qu'ils fussent mariés chacun de son côté...

— Réponds sérieusement, Tony... Si je devenais libre...

Ecoutait-il ? Le train, invisible derrière le bâtiment blanc de la gare, s'était arrêté et des voyageurs commençaient à sortir par la porte de droite où un employé en uniforme collectait les billets.

— Tu te rendrais libre aussi ?

Avant de repartir, la locomotive sifflait si fort qu'il n'entendait rien d'autre.

— Tu dis ?

— Je te demande si, dans ce cas-là...

Il avait tourné à moitié la tête vers le bleu de la chambre, le blanc du lit et du corps d'Andrée, mais une image, à la limite de son champ visuel, le faisait regarder à nouveau dehors. Parmi les silhouettes anonymes, les hommes, les femmes, un bébé dans les bras de sa mère, une fillette qu'on traînait par la main, il venait de reconnaître un visage.

— Ton mari...

D'une seconde à l'autre, Tony avait changé d'expression.

— Nicolas ?

— Oui...

— Où est-il ?... Qu'est-ce qu'il fait ?...

— Il traverse la place...

— Il vient ici ?

— Tout droit...

— Quel air a-t-il ?

— Je ne sais pas. Il tourne le dos au soleil...

— Où vas-tu ?

Car il ramassait ses vêtements, son linge, ses chaussures.

— Il ne faut pas que je reste ici... Du moment qu'il ne nous trouve pas ensemble...

Il ne la regardait plus, ne se préoccupait plus d'elle, de son corps ni de ce qu'elle pouvait dire ou penser. Pris de panique, il jetait un dernier coup d'œil par la fenêtre et se précipitait hors de la chambre.

Si Nicolas était venu à Triant par le train alors que

sa femme s'y trouvait, c'était pour une raison sérieuse.

Dans l'escalier aux marches usées, l'ombre était plus fraîche et Tony, ses vêtements sur le bras, montait un étage, trouvait, au fond du couloir, une porte entrouverte, Françoise, en robe noire et tablier blanc, qui changeait les draps d'un lit. Elle le regarda de la tête aux pieds et commença par rire.

— Vous, alors, monsieur Tony !... Vous vous êtes disputés ?...

— Chut...

— Que se passe-t-il ?...

— Son mari...

— Il vous a surpris ?

— Pas encore... Il se dirige vers l'hôtel...

Il se rhabillait fébrilement, l'oreille tendue, s'attendant à reconnaître le pas mou de Nicolas dans l'escalier.

— Va voir ce qu'il fait et reviens vite me le dire...

Il avait de l'affection pour Françoise, une fille drue, solide, aux yeux rieurs, et elle la lui rendait.

La moitié du plafond était en pente, le papier peint semé de fleurs roses et un crucifix noir était accroché au-dessus du lit de noyer. Dans la chambre bleue aussi un crucifix, plus petit, était suspendu au-dessus de la cheminée.

Il n'avait pas de cravate et son veston était resté dans la voiture. Les précautions qu'ils s'imposaient depuis près d'un an, Andrée et lui, s'avéraient soudain utiles.

Quand ils se retrouvaient à l'Hôtel des Voyageurs, Tony laissait sa camionnette rue des Saules, une vieille rue calme parallèle à la rue Gambetta, tandis qu'Andrée garait sa 2 CV grise place du Marché, à plus de trois cents mètres.

Par la fenêtre mansardée, il découvrait la cour de l'hôtel avec, dans le fond, les écuries où picoraient des poules. Tous les mois, le troisième lundi, une foire aux bestiaux se tenait en face des bâtiments de la petite vitesse et de nombreux paysans des environs venaient encore à Triant en carriole.

Françoise remontait sans presser le pas.

— Alors ?

— Il est assis à la terrasse et il vient de commander une limonade.

— Quel air a-t-il ?

Il posait à peu près les mêmes questions qu'Andrée tout à l'heure.

— Il n'a pas d'air.

— Il a demandé après sa femme ?

— Non. Mais, d'où il est, il peut surveiller les deux sorties.

— Mon frère ne t'a rien dit ?

— Que vous filiez par-derrière, en traversant la cour du garage voisin.

Il connaissait le chemin. En sautant, dans la cour, un mur d'un mètre cinquante, il se trouvait derrière le garage Chéron, dont les pompes s'alignaient place de la Gare et, de là, une venelle conduisait rue des Saules, débouchant entre une pharmacie et la boulangerie Patin.

— Tu ne sais pas ce qu'elle fait ?

— Non.

— Tu as entendu du bruit dans la chambre ?

— Je n'ai pas écouté.

Françoise n'aimait guère Andrée, peut-être parce qu'elle avait une certaine inclination pour lui et qu'elle était jalouse.

— Il vaut mieux que vous ne passiez pas par le rez-de-chaussée, des fois qu'il se rendrait aux toilettes...

Il imaginait Nicolas, le teint bilieux, le visage toujours triste ou maussade, attablé à la terrasse devant une limonade, alors qu'il aurait dû se trouver derrière le comptoir de son épicerie. Sans doute avait-il appelé sa mère pour qu'elle prenne sa place pendant le voyage à Triant ? Quelle raison lui avait-il donnée de ce déplacement inusité ? Que savait-il ? Qui l'avait renseigné ?

— Vous n'avez jamais pensé, monsieur Falcone, à la possibilité d'une lettre anonyme ?

La question était posée par M. Diem, le juge d'instruction que sa timidité rendait si déroutant.

— Personne, à Saint-Justin, n'était au courant de notre liaison. A Triant non plus, à part mon frère, ma belle-sœur et Françoise. Nous prenions nos précautions. Elle entrait par la petite porte de la rue Gambetta, qui s'ouvre au pied de l'escalier, ce qui lui permettait de monter dans la chambre sans passer par le café.

— Bien entendu, vous êtes sûr de votre frère ?

Il ne pouvait que sourire à une telle question. Son frère, c'était comme lui-même.

— De votre belle-sœur aussi ?

Lucia l'aimait presque autant qu'elle aimait Vincent, d'une autre manière, évidemment. Elle était, comme eux, d'origine italienne, et la famille passait avant tout.

— La servante ?

Même si elle était amoureuse de Tony, Françoise n'aurait jamais envoyé une lettre anonyme.

— Il reste quelqu'un... devait murmurer M. Diem en détournant la tête, tandis que le soleil se jouait dans ses cheveux un peu fous.

— Qui ?

— Vous ne voyez pas ? Rappelez-vous les phrases que vous m'avez répétées lors de votre dernier interrogatoire. Voulez-vous que le greffier les relise ?

Il rougissait, secouait la tête.

— Ce n'est pas possible qu'Andrée...

— Pourquoi ?

Mais c'était encore loin. Dans l'immédiat, il descendait l'escalier derrière Françoise, s'efforçant de ne pas faire craquer les marches. L'Hôtel des Voyageurs datait du temps des diligences. Tony s'arrêtait un instant devant la chambre bleue d'où aucun son ne lui parvint. Fallait-il en déduire qu'Andrée, toujours nue, restait étendue sur le lit ?

Françoise l'entraînait au fond du couloir qui formait

un coude, désignait une petite fenêtre ouverte sur le toit en pente d'une remise.

— Il y a un tas de paille, à droite. Vous ne risquez rien en sautant...

Les poules caquetèrent quand il prit pied dans la cour et, l'instant d'après, il franchissait le mur du fond, se trouvait dans un fouillis de vieilles voitures et de pièces détachées. Un pompiste en blanc faisait le plein d'une auto devant la station et ne se retourna pas.

Tony se faufila, trouva la ruelle qui sentait l'eau croupie, puis, plus loin, le pain chaud, car un soupirail ouvrait sur le fournil du boulanger.

Enfin, rue des Saules, il s'installait au volant de sa camionnette qui portait en lettres noires sur fond citron :

Antoine Falcone
Tracteurs — Machines Agricoles
Saint-Justin-du-Loup

Un quart d'heure plus tôt, il se sentait en paix avec le monde entier. Comment définir le malaise qui s'était emparé de lui ? Ce n'était pas de la peur. Aucun soupçon ne l'avait effleuré.

— Cela ne vous a pas troublé de le voir sortir de la gare ?

Oui... Non... Un peu, à cause du caractère et des habitudes de Nicolas, de sa santé dont il était si soucieux.

Il contournait Triant pour rejoindre, sans passer place de la Gare, la route de Saint-Justin. Près d'un pont enjambant l'Orneau, toute une famille pêchait à la ligne, y compris une petite fille de six ans qui venait de tirer un poisson de l'eau et qui ne savait comment le décrocher. Sûrement des Parisiens. L'été, on en voyait partout ; il y en avait chez son frère aussi et, de la chambre bleue, tout à l'heure, il avait reconnu leur accent à la terrasse.

La route traversait des champs où on avait fait les blés quinze jours plus tôt, des vignes, des prés où paissaient les vaches de la région, couleur fauve, au museau presque noir.

Saint-Séverin, à trois kilomètres, n'était qu'une courte rue, quelques fermes parsemées à l'entour. Puis il vit, à droite, le petit bois qu'on appelait le bois de Sarelle, à cause du hameau de ce nom qu'il cachait.

C'était ici, à quelques mètres du chemin non goudronné, qu'en septembre de l'année précédente tout avait commencé.

— Racontez-moi le commencement de votre liaison...

Le brigadier de gendarmerie de Triant, d'abord, puis le lieutenant, puis un inspecteur de la police judiciaire de Poitiers lui avaient posé les mêmes questions avant qu'on en arrive au juge Diem, au psychiatre maigre, à son avocat, maître Demarié, pour finir un jour par le président des assises.

Les mêmes mots revenaient au cours des semaines et des mois, prononcés par d'autres voix, dans de nouveaux décors, tandis que s'écoulaient le printemps, l'été, puis l'automne.

— Le vrai commencement ? Nous nous connaissions à l'âge de trois ans, puisque nous habitions le même village, et nous sommes allés à l'école, puis nous avons fait notre première communion ensemble...

— Je parle de vos relations sexuelles avec Andrée Despierre... En aviez-vous avant ?

— Avant quoi ?

— Avant qu'elle épouse votre ami.

— Nicolas n'était pas mon ami.

— Mettons votre camarade ou, si vous préférez, votre condisciple. Elle s'appelait Formier à l'époque et habitait le château avec sa mère...

Ce n'était pas un vrai château. Il en avait existé un, jadis, à cet emplacement, tout contre l'église, mais il n'en restait qu'une partie des communs. Depuis peut-être un siècle et demi, sans doute depuis la Révolution, on continuait à dire le château.

— Vous est-il arrivé, avant son mariage...

— Non, monsieur le juge.

— Pas même un flirt ? Vous ne l'aviez pas embrassée ?

— L'idée ne m'en serait pas venue.

— Pourquoi ?

Il faillit répondre :

— Parce qu'elle était trop grande.

Et c'était vrai. Il n'avait jamais associé à l'amour cette grande fille impassible qui lui faisait penser à une statue.

En outre, elle était Mlle Formier, la fille du docteur Formier, mort en déportation. L'explication était-elle suffisante ? Il n'en trouvait pas d'autre. Ils ne se situaient pas sur un même plan, elle et lui.

Quand ils sortaient de l'école, le cartable sur le dos, elle n'avait que la cour à traverser pour rentrer chez elle, au cœur du village, cependant qu'avec deux camarades il prenait le chemin de La Boisselle, un hameau de trois feux, près du pont de l'Orneau.

— Lorsque, voilà quatre ans, vous êtes revenu à Saint-Justin, marié et père de famille, et que vous y avez fait construire votre maison, avez-vous repris contact avec elle ?

— Elle avait épousé Nicolas et tenait l'épicerie avec lui. Il m'est arrivé d'y entrer pour un achat, mais c'était le plus souvent ma femme qui...

— Dites-moi maintenant comment cela a commencé.

A l'endroit où il passait, justement, en bordure du bois de Sarelle. Ce n'était pas un jour de foire à Triant, ni un jour de grand marché. Le grand marché se tient tous les lundis, le petit marché le vendredi. Il s'y rendait régulièrement, car c'était une occasion de rencontrer sa clientèle.

Nicolas ne conduisait pas, à cause de ses crises, le juge le savait. C'était Andrée qui, chaque jeudi, allait à Triant avec la 2 CV pour faire ses achats dans les maisons de gros et de demi-gros.

Une fois sur deux, elle restait en ville toute la journée, car elle en profitait pour se rendre chez le coiffeur.

— Il a dû vous arriver souvent, en quatre ans, de la rencontrer ?

— Un certain nombre de fois, oui. A Triant, on rencontre toujours des gens de Saint-Justin.

— Vous vous adressiez la parole ?

— Je la saluais.

— De loin ?

— De loin, de près, cela dépendait...

— Il n'y avait pas d'autres contacts entre vous ?

— Il a dû m'arriver de lui demander comment allait son mari, ou comment elle allait.

— Sans avoir aucune vue sur elle ?

— Pardon ?

— Il découle de l'enquête qu'au cours de vos allées et venues professionnelles vous vous offriez un certain nombre d'aventures féminines.

— Cela m'est arrivé comme à tout le monde.

— Souvent ?

— Chaque fois que l'occasion s'est présentée.

— Entre autres avec Françoise, la servante de votre frère ?

— Une fois. En riant. C'était plutôt une plaisanterie.

— Que voulez-vous dire ?

— Elle m'avait défié, je ne sais plus à quel propos, et, un jour que je l'ai rencontrée dans l'escalier...

— Cela s'est passé dans l'escalier ?

— Oui.

Pourquoi le regardait-on tantôt comme un monstre cynique et tantôt comme un phénomène de candeur ?

— Nous n'avons pris ça au sérieux ni l'un ni l'autre.

— Vous n'en avez pas moins eu des rapports ?

— Bien sûr.

— L'envie ne vous est jamais venue de recommencer ?

— Non.

— Pourquoi ?

— Peut-être parce que, tout de suite après, il y a eu Andrée.

— La servante de votre frère ne vous en a pas gardé rancune ?

— Pour quelle raison ?

Combien la vie est différente quand on la vit et quand on l'épluche après coup ! Il finissait par se laisser troubler par les sentiments qu'on lui supposait, par ne plus reconnaître le vrai du faux, par se demander où finissait le bien et où commençait le mal.

Cette rencontre de septembre, par exemple ! Un jeudi, selon toutes probabilités, puisque Andrée était allée à Triant. Elle avait dû être retardée, chez le coiffeur ou ailleurs, car elle rentrait plus tard que d'habitude, alors que la nuit tombait.

Quant à lui, il s'était vu obligé de boire plusieurs verres de vin du pays avec des clients. Il buvait le moins possible, mais son métier ne lui permettait pas toujours de refuser une tournée.

Il était gai, léger, comme tout à l'heure dans la chambre bleue quand il se tenait debout, tout nu, devant le miroir et qu'il étanchait le sang de sa lèvre.

Il venait d'allumer ses phares dans le crépuscule quand il avait aperçu la 2 CV grise d'Andrée au bord de la route, Andrée elle-même, vêtue de clair, qui lui faisait signe de s'arrêter.

Tout naturellement, il avait freiné.

— C'est une chance que tu passes, Tony...

On lui demanderait plus tard, comme si c'était une charge contre lui :

— Vous vous tutoyiez déjà ?

— Depuis l'école, bien sûr.

— Continuez.

Qu'est-ce que le juge pouvait bien noter sur la feuille dactylographiée posée devant lui ?

— Elle m'a dit :

» — Pour une fois que j'ai laissé le cric à la maison, par manque de place, il faut que j'aie une crevaison... Tu as un cric, toi ?

Il n'avait pas eu besoin de retirer son veston, car il faisait encore chaud et il n'en portait pas. Il se souvenait que sa chemise à col ouvert avait des manches courtes et que son pantalon était en coutil bleu.

Que pouvait-il faire, sinon démonter la roue ?

— Tu en as une de rechange ?

Pendant qu'il travaillait, la nuit tombait tout à fait et Andrée, debout près de lui, lui passait les outils.

— Tu vas arriver en retard pour ton dîner.

— Tu sais, avec mon métier, ce n'est pas rare.

— Ta femme ne te dit rien ?

— Elle sait que ce n'est pas ma faute.

— Tu l'as rencontrée à Paris ?

— A Poitiers.

— Elle est de Poitiers ?

— D'un village des environs. Elle travaillait en ville.

— Tu aimes les blondes ?

Gisèle était blonde, avec une peau fine, diaphane, qui se colorait de rose à la moindre émotion.

— Je ne sais pas. Je n'y ai jamais réfléchi.

— Je me demandais si les brunes te faisaient peur.

— Pourquoi ?

— Parce que, jadis, tu as embrassé à peu près toutes les filles du village, sauf moi.

— Je n'y ai sans doute pas pensé.

Il plaisantait, s'essuyait les mains avec son mouchoir.

— Tu veux essayer, une fois, de m'embrasser ?

Il l'avait regardée avec étonnement, tenté de répéter son :

— Pourquoi ?

Il la distinguait mal dans l'obscurité.

— Tu veux ? avait-elle répété d'une voix qu'il avait à peine reconnue.

Il se souvenait des petites lumières rouges à l'arrière de la voiture, de l'odeur des châtaigniers, puis de l'odeur, du goût de la bouche d'Andrée. Les lèvres collées aux siennes, elle lui saisissait la main et la dirigeait vers son sein, qu'il était surpris de trouver si rond, si lourd, si vivant.

Lui qui l'avait prise pour une statue !

Un camion approchait et, pour échapper à ses phares, ils reculaient, toujours rivés l'un à l'autre, vers le bas-côté où se dressaient les premiers arbres. Là, soudain, Andrée était prise d'un tremblement comme il n'en avait jamais connu chez une partenaire, et elle répétait en l'entraînant de tout son poids :

— Tu veux ?

Ils s'étaient retrouvés par terre, dans les hautes herbes, dans les orties.

Il ne le dit ni aux policiers, ni au juge. Le professeur Bigot, seul, le psychiatre, lui arracha peu à peu la vérité : c'était elle qui s'était troussée jusqu'au ventre, qui avait fait jaillir ses seins du corsage, qui lui avait commandé d'une voix de gorge ressemblant à un râle :

— Baise-moi, Tony !

En fait, c'était elle qui l'avait possédé et ses yeux exprimaient autant le triomphe que la passion.

— Je ne m'étais pas douté qu'elle était ainsi.

— Que voulez-vous dire ?

— Je la prenais pour une fille froide, hautaine, comme sa mère.

— Elle n'a manifesté aucun embarras, après ?

Elle lui avait dit, étendue dans l'herbe, sans bouger, les jambes écartées, comme cet après-midi dans la chambre d'hôtel :

— Merci, Tony.

Elle paraissait le penser. Elle se montrait humble, presque petite fille.

— J'en ai envie depuis si longtemps, vois-tu ! Depuis

l'école. Tu te souviens de Linette Pichat, celle qui louchait et après qui tu n'en as pas moins couru pendant des mois ?

Elle était à présent institutrice en Vendée et venait chaque année passer les vacances chez ses parents.

— Je vous ai surpris ensemble, une fois. Tu devais avoir quatorze ans.

— Derrière la briqueterie ?

— Tu ne l'as pas oublié ?

Il avait ri.

— Je ne l'ai pas oublié parce que c'était la première fois.

— Elle aussi ?

— Je n'en sais rien. Je n'avais pas assez d'expérience pour m'en rendre compte.

— Je l'ai haïe ! Pendant des mois, le soir, dans mon lit, je me demandais comment je pourrais bien la faire souffrir.

— Tu as trouvé ?

— Non. Je me suis contentée de prier pour qu'elle tombe malade ou pour qu'un accident la défigure.

— Nous ferions mieux de rentrer à Saint-Justin.

— Encore un instant, Tony. Non ! Ne te lève pas. Il faut trouver un moyen de nous revoir ailleurs qu'au bord de la route. Je vais à Triant chaque jeudi.

— Je sais.

— Peut-être que ton frère...

Le juge devait conclure :

— En somme, dès ce soir-là, tout était arrangé ?

Il était difficile de savoir s'il parlait ou non avec ironie.

Le 2 août, le juge n'existait pas encore dans la vie de Tony. Il rentrait chez lui. La nuit n'était pas tombée, comme en septembre. Le ciel commençait seulement à rougeoyer à l'ouest et il dut suivre longtemps un troupeau de vaches avant de parvenir à le dépasser.

Un village dans un creux de terrain : Doncœur. Puis une côte douce, des champs encore, des prés, un vaste ciel, et, après un dos-d'âne, la vue de sa maison toute neuve, en briques roses, avec un reflet de soleil dans une vitre, sa fille Marianne assise sur le seuil et derrière, au bout du terrain, le hangar argenté où son nom s'étalait comme sur la camionnette et où étaient rangées les machines agricoles.

Marianne, de loin, avait reconnu l'auto et, se tournant vers la porte, elle devait annoncer :

— C'est pap !

Elle refusait de dire papa comme les autres enfants et il lui arrivait, par jeu, peut-être aussi parce qu'elle était jalouse de sa mère, de l'appeler Tony.

2

Sa maison se dressait à gauche à mi-pente, entourée du jardin, séparée par un pré de la maison des sœurs Molard, vieille et grise, au toit d'ardoises ; puis il y avait la forge et enfin, cent mètres plus bas, le village avec de vraies rues, des façades qui se touchaient, des petits cafés, des boutiques. Les gens du pays n'aimaient pas le mot village et disaient le bourg, un gros bourg de seize cents habitants sans compter les trois hameaux qui s'y rattachaient.

— Tu t'es battu, pap ?

Il avait oublié la morsure d'Andrée.

— Ta lèvre est tout enflée.

— Je me suis cogné.

— A quoi ?

— A un poteau, dans la rue, à Triant. Voilà ce qui arrive quand on oublie de regarder devant soi.

— Maman ! Pap s'est cogné à un poteau...

Sa femme sortit de la cuisine, en tablier à petits carreaux, une casserole à la main.

— C'est vrai, Tony ?

— Ce n'est rien, tu vois.

La mère et la fille se ressemblaient au point qu'il lui arrivait, quand elles étaient côte à côte, d'en ressentir une certaine gêne.

— Tu n'as pas eu trop chaud ?

— Pas trop. Il faut maintenant que je finisse un travail au bureau.

— On pourra manger à six heures et demie ?

— Je l'espère.

Ils dînaient de bonne heure à cause de Marianne qu'on mettait au lit à huit heures. Elle aussi portait un tablier à petits carreaux bleus. Elle venait de perdre deux dents de lait, sur le devant, et ces deux trous lui donnaient une expression presque pathétique. On aurait dit que, pour quelques semaines, elle était à la fois une enfant et une petite vieille.

— Je peux venir, pap ? Je te promets de ne pas faire de bruit.

Le bureau, avec ses cartons verts et ses piles de prospectus sur des rayonnages en bois blanc, donnait sur la route et Tony était anxieux de voir passer la 2 CV.

A côté se trouvait ce que l'architecte appelait la salle de séjour, la plus grande pièce de la maison, conçue à la fois comme salle à manger et comme salon.

Dès la première semaine, on avait découvert que ce n'était pas pratique, pour Gisèle, d'aller et venir avec les plats, de quitter la table pour surveiller ses casseroles, et on avait fini par manger dans la cuisine.

Elle était grande et gaie. L'arrière-cuisine servait pour la lessive et le repassage. Tout était bien conçu, d'une propreté remarquable, sans jamais de désordre.

— Votre femme, à ce que vous me dites, est une excellente ménagère ?

— Oui, monsieur le juge.

— C'est pour cela que vous l'avez épousée ?

— Quand je l'ai épousée, je l'ignorais.

Il y eut trois stades, en réalité, sinon quatre. Le premier à Saint-Justin, dans sa maison, quand le brigadier de gendarmerie puis le lieutenant le harcelaient de questions auxquelles il ne comprenait rien. Ensuite, le tour était venu de l'inspecteur Mani qui, à Poitiers, citait des dates, confrontait les heures, reconstituait ses allées et venues.

Sa façon de penser ne les intéressait pas, surtout les gendarmes, ou plutôt ils ne s'étonnaient de rien, parce que leur vie privée était assez semblable à la sienne.

Avec le juge Diem, puis avec le psychiatre, même avec son avocat, tout allait changer. Lorsqu'il comparaissait devant le juge d'instruction, par exemple, Tony sortait de la prison, de la voiture cellulaire qui ne tarderait pas à le reconduire, tandis que le magistrat rentrerait déjeuner ou dîner chez lui.

C'était Diem qui le troublait le plus, peut-être parce qu'ils avaient à peu près le même âge. Le juge était son cadet d'un an et s'était marié dix-huit mois plus tôt. Sa femme venait d'avoir son premier bébé. Le père du juge, qui n'avait pas de fortune, travaillait comme chef de bureau à la Sécurité sociale, et Diem avait épousé une dactylo. Ils habitaient un appartement modeste, trois pièces et cuisine, dans le quartier neuf.

N'auraient-ils pas dû se comprendre ?

— De quoi, exactement, aviez-vous peur ce soir-là ?

Que répondre ? De tout. De rien en particulier. Nicolas n'avait pas pris le train et confié la boutique à sa mère sans une raison grave. Il ne s'était pas rendu à Triant rien que pour s'asseoir devant un guéridon à la terrasse de l'Hôtel des Voyageurs et pour y boire une limonade.

Quand Tony était parti, Andrée était toujours nue, sur le lit de la chambre bleue, et ne manifestait pas l'intention d'en bouger.

— Considériez-vous Nicolas comme un violent ?

— Non.

C'était néanmoins un malade qui, depuis son enfance, vivait replié sur lui-même.

— Vous êtes-vous demandé, à Triant, s'il était armé ?

Il n'y avait pas pensé.

— Vous craigniez pour votre ménage ?

Ils ne parvenaient pas, Diem et lui, à se placer sur le même terrain, à employer des mots ayant un sens identique pour les deux. Il subsistait toujours comme un décalage.

Il feignait de travailler, une pile de factures devant

lui, un crayon à la main, traçant parfois, à côté d'un chiffre, une croix inutile, pour la vraisemblance.

Sa fille, assise à ses pieds, jouait avec une petite auto à laquelle il manquait une roue. Il voyait la route, à une vingtaine de mètres, au-delà de la pelouse et de la barrière blanche, puis, au bas d'un pré, l'arrière des maisons du village, les cours, les jardinets où les dahlias étaient en fleur. Quelque part, le jaune et le cœur noir d'un énorme soleil tranchaient sur la grisaille d'un mur, près d'un tonneau.

En rentrant, il avait machinalement regardé le réveil qui marquait six heures moins le quart. A six heures vingt, Gisèle vint lui demander :

— Je peux servir comme d'habitude ?

— Peut-être un peu plus tard. Je voudrais finir avant de dîner.

— J'ai faim, pap !

— Ce ne sera pas long, mon petit. Si je suis en retard, tu te mettras à table avec maman.

C'est vers ce moment-là qu'il se sentit pris d'une panique qu'il n'avait pas ressentie tout à l'heure, quand, ses vêtements à la main, il se réfugiait au second étage de l'hôtel. Une angoisse physique, un spasme dans la poitrine, une soudaine fébrilité qui le força à se lever et à se camper devant la fenêtre.

Quand il alluma une cigarette, sa main tremblait. Ses jambes devenaient molles.

Pressentiment ? Il en parla au psychiatre, ou plutôt le professeur Bigot l'amena à en parler.

— Cela ne vous était jamais arrivé avant ?

— Non. Pas même quand un miracle m'a fait sortir indemne d'un accident d'auto. Et pourtant, cette fois-là, en me retrouvant, sans une égratignure, assis dans un champ, je me suis mis à pleurer.

— Vous aviez peur de Nicolas ?

— Il m'a toujours impressionné.

— Déjà à l'école ?

Par bonheur, alors que l'aiguille du réveil ne marquait pas encore tout à fait la demie, la 2 CV apparut au sommet de la côte. Elle passa devant la maison, Andrée au volant, son mari à côté d'elle, et ni elle ni lui n'eurent un regard dans sa direction.

— Quand tu voudras, Gisèle.

— Alors, à table. Va te laver les mains, Marianne.

Ils avaient commencé à dîner comme les autres soirs : la soupe, une omelette au jambon, de la salade, un camembert et des abricots pour dessert.

Sous les fenêtres s'étendait le potager dont ils prenaient soin tous les deux, sa femme et lui, et où Marianne, accroupie, passait des heures à arracher les mauvaises herbes.

Les haricots grimpants avaient atteint le sommet des perches. Derrière le treillage du poulailler picoraient une quinzaine de poules blanches, des Leghorn, et on devinait les lapins dans l'ombre du clapier.

En apparence, la journée s'achevait comme n'importe quelle journée d'été. Un air tiède pénétrait par la fenêtre ouverte, avec parfois une vague plus fraîche. Le maréchal-ferrant, le gros Didier, battait encore son enclume. La nature était calme et se figeait lentement pour la nuit.

Les questions du professeur Bigot étaient presque toujours inattendues.

— Aviez-vous, dès ce soir-là, l'impression de l'avoir perdue ?

— Qui ? Andrée ?

Il était surpris, car il n'y avait pas pensé.

— Vous viviez, depuis onze mois, ce qu'il n'est pas exagéré d'appeler une grande passion...

Ce mot-là ne lui était pas venu à l'esprit. Il désirait Andrée. Après quelques jours sans elle, il était obsédé par le souvenir des heures tumultueuses et brûlantes qu'ils avaient vécues, par le souvenir de son odeur, de ses seins, de son ventre, de son impudicité. Il lui arrivait, couché à côté de Gisèle, de passer des heures sans trouver le sommeil, assailli par des rêves fantastiques.

— Que dirais-tu d'aller au cinéma ?

— Quel jour sommes-nous ?

— Jeudi.

Gisèle s'étonnait un peu. En général, ils allaient au cinéma une fois par semaine, à Triant, qui n'était qu'à douze kilomètres.

Les autres soirs, Tony travaillait dans son bureau pendant que sa femme faisait la vaisselle puis venait coudre ou ravauder des chaussettes près de lui. Ils s'interrompaient parfois l'un et l'autre pour échanger quelques phrases, presque toujours au sujet de Marianne qui, en octobre, entrerait à l'école.

Plus rarement, ils s'asseyaient dehors, le dos à la maison, à regarder la nuit tomber, les toits gris et les toits rouges sous la lune, la masse sombre des arbres dont le feuillage bruissait à peine.

— Qu'est-ce qu'on joue ?

— Un film américain. J'ai vu l'affiche, mais je ne me souviens pas du titre.

— Si tu en as envie. Je vais prévenir les Molard.

Quand ils s'absentaient le soir, une ou les deux sœurs Molard venaient veiller sur Marianne. L'aînée, Léonore, avait trente-sept ou trente-huit ans ; Marthe était un peu plus jeune. En réalité, elles n'avaient d'âge ni l'une ni l'autre et elles deviendraient des vieilles filles sans qu'on s'en aperçoive.

Toutes les deux avaient le visage rond, lunaire, aux traits comme gommés, et elles portaient les mêmes robes, les mêmes manteaux, les mêmes chapeaux, comme cela arrive aux jumelles.

Souvent elles étaient les seules fidèles à la messe de sept heures, où elles communiaient chaque matin, et elles ne manquaient ni les vêpres ni le salut. C'étaient elles qui aidaient l'abbé Louvette à entretenir l'église, fleurissaient les autels, prenaient soin du cimetière, elles aussi qui veillaient les agonisants et faisaient la toilette des morts.

Elles étaient couturières et on pouvait les voir, en

passant devant chez elles, travailler derrière la fenêtre où sommeillait un gros chat café au lait.

Marianne ne les aimait pas.

— Elles sentent mauvais, disait-elle.

C'était vrai qu'elles répandaient une odeur particulière, à la fois celle qu'on respire dans les magasins de tissus et l'odeur des églises, avec, en plus, un relent de chambre de malade.

— Elles sont laides !

— Si elles n'étaient pas là pour te garder, tu resterais seule à la maison.

— Je n'ai pas peur.

Gisèle souriait, d'un sourire bien à elle, très mince, qui étirait à peine ses lèvres, comme si elle s'efforçait de le garder à l'intérieur.

— Vous mettez cette attitude sur le compte de la discrétion ?

— Oui, monsieur le juge.

— Qu'entendez-vous par là ? La faculté de garder un secret ?

Encore les mots !

— Ce n'est pas ce que j'ai en tête. Elle n'aimait pas qu'on la remarque. Elle craignait de prendre trop de place, de déranger les gens, de leur demander un service.

— Elle était déjà ainsi jeune fille ?

— Je crois. Par exemple, en sortant du cinéma ou d'un bal, elle n'aurait pas avoué qu'elle avait soif, afin de ne pas m'occasionner une dépense.

— Elle avait des amies ?

— Une seule, une voisine plus âgée qu'elle avec qui elle faisait de longues promenades.

— Qu'est-ce qui vous a séduit en elle ?

— Je ne sais pas. Je ne me le suis pas demandé.

— Elle vous paraissait rassurante ?

Tony regardait fixement le visage du juge en s'efforçant de comprendre.

— J'ai pensé qu'elle ferait...

Il cherchait en vain le mot.

— Une bonne épouse ?

Ce n'était pas tout à fait cela, mais il se résignait à dire oui.

— Vous l'aimiez ?

Et, comme il se taisait :

— Vous aviez envie de coucher avec elle ? Vous l'avez fait avant votre mariage ?

— Non.

— Vous ne la désiriez pas ?

Sans doute que si, puisqu'il l'avait épousée.

— Et elle ? Pensez-vous qu'elle vous aimait ou qu'elle était intéressée par le mariage en lui-même ?

— Je ne sais pas. Je crois...

Qu'est-ce que le juge aurait répondu s'il lui avait posé la même question ? Ils formaient un bon ménage, voilà tout. Gisèle était propre, active, effacée, exactement à sa place dans la maison neuve.

Il était content, le soir, de rentrer chez lui et, jusqu'à Andrée, il n'avait pas eu de véritables aventures, même s'il lui arrivait de profiter d'une occasion.

— Vous prétendez que l'idée de divorcer ne vous est jamais venue ?

— C'est la vérité.

— Au cours des derniers mois non plus ?

— A aucun moment.

— Pourtant, vous avez dit à votre maîtresse...

Alors, tout à coup, il haussait le ton, frappait même du poing, sans s'en apercevoir, sur le bureau du petit juge.

— Mais, voyons, je n'ai jamais rien dit réellement ! C'était elle qui parlait ! Elle était nue sur le lit. J'étais nu devant la glace : nous venions, tous les deux... Enfin, vous le savez aussi bien que moi. A ces moments-là, on ne se préoccupe pas des mots. J'entendais à peine ce qu'elle disait. Tenez, pendant un bon moment, j'ai suivi des yeux une abeille...

L'image de l'abeille lui revenait soudain : il avait même ouvert les volets plus largement pour lui permettre de sortir.

— Je hochais la tête. Je faisais oui ou non en pensant à autre chose.

— A quoi, par exemple ?

C'était trop décourageant. Il avait hâte de se retrouver dans son casier de la voiture cellulaire où on ne lui demandait rien.

— Je ne sais pas.

Gisèle avait couru prévenir les demoiselles Molard pendant qu'il mettait Marianne au lit puis que, comme chaque fois qu'il avait retrouvé Andrée à Triant, il prenait une douche et changeait de linge. Il y avait trois chambres et une salle de bains au premier étage.

— Si nous avons d'autres enfants, nous pourrons coucher les garçons dans une chambre et les filles dans l'autre, avait dit Gisèle, à l'époque où on discutait les plans.

Après six ans, ils n'avaient toujours que Marianne et la troisième chambre n'avait servi qu'une fois, quand les parents de Gisèle étaient venus passer des vacances à Saint-Justin.

Ils habitaient Montsartois, à six kilomètres de Poitiers. Germain Coutet, ouvrier plombier, était un homme lourd, charpenté en gorille, la face rougeaude et la voix sonore, dont les phrases commençaient par :

— J'ai toujours dit...

— Moi, je prétends...

Dès le premier jour, on l'avait senti jaloux de son gendre, du bureau clair et bien rangé, de la cuisine moderne et surtout du hangar argenté où étaient rangées les machines.

— Moi, je continue à croire qu'un ouvrier a tort de se mettre à son compte...

Il entamait sa première bouteille de vin rouge à huit heures du matin et n'arrêtait pas de boire de la journée. On le retrouvait dans tous les bistrots du village et, du dehors, on entendait sa voix tonitruante. S'il n'était jamais ivre, il devenait plus catégorique, voire agressif, à mesure que le soir approchait.

— Qui est-ce qui va à la pêche chaque dimanche ? Est-ce toi ou moi ? Bon ! Et d'un ! Qui est-ce qui a trois semaines de congés payés ? Et qui n'a pas besoin, après journée, de se casser la tête avec des chiffres ?

Sa femme, grasse et passive, le ventre en avant, évitait de le contrarier. Cela expliquait-il le caractère effacé de Gisèle ?

Des escarmouches s'étaient produites, à la fin de leur séjour, et les Coutet ne venaient plus en vacances à Saint-Justin.

Non seulement Gisèle avait eu le temps, après avoir averti les sœurs Molard, de ranger la vaisselle, mais elle s'était changée. Elle remuait à peine l'air autour d'elle, ne donnait jamais l'impression de se dépêcher et son travail se faisait comme par enchantement.

Un dernier bonsoir à Marianne, dans la pénombre tiède de la chambre. Les demoiselles Molard, en bas, étaient déjà penchées sur leur couture.

— Amusez-vous bien.

Tout cela était familier ; on vivait sans s'en rendre compte, tant la scène s'était répétée de fois.

Le moteur tourna. Côte à côte à l'avant de la camionnette, ils laissaient derrière eux le village où quelqu'un s'attardait à bêcher son jardin tandis que la plupart, assis sur une chaise devant leur maison, profitaient de la fraîcheur du soir, sans rien dire, quelques-uns écoutant la radio qui résonnait, derrière eux, dans une pièce vide.

Ils roulèrent d'abord en silence, chacun suivant son idée.

— Dis-moi, Tony...

Comme elle ne continuait pas tout de suite, il se demanda, avec un pincement au cœur, ce qui allait suivre.

— Tu ne trouves pas que, depuis quelque temps, Marianne est pâlotte ?

Leur fille avait toujours été maigre, avec de longs bras et de longues jambes, et elle n'avait jamais eu de couleurs.

— J'en ai parlé tout à l'heure au docteur Riquet, que j'ai rencontré en sortant de l'épicerie...

N'avait-elle pas été surprise de l'absence de Nicolas qui s'était fait remplacer par sa mère derrière le comptoir ? Ne s'était-elle pas posé des questions ?

— Comme il dit, nous avons le bon air, mais les enfants ont besoin de changement. Il nous conseille, quand nous le pourrons, l'année prochaine, par exemple, de la conduire à la mer.

Il fut le premier étonné de la rapidité de sa décision.

— Pourquoi pas cette année ? ripostait-il.

Elle n'osait pas y croire. Depuis leur installation à Saint-Justin, ils ne s'étaient pas offert de vacances car l'été était la saison la plus active de Tony. Ils avaient acheté le terrain avec leurs économies, mais ils en avaient pour plusieurs années à payer la maison et le hangar.

— Tu crois que c'est possible ?

Une seule fois, la première année de leur mariage, alors qu'ils habitaient encore Poitiers, ils avaient passé quinze jours aux Sables-d'Olonne, louant une chambre meublée chez une vieille femme et Gisèle préparant les repas sur un réchaud à alcool.

— Nous sommes déjà en août. Je crains qu'on ne trouve plus rien de libre.

— Nous irons à l'hôtel. Tu te souviens de cet hôtel, tout au bout de la plage, un peu avant le bois de pins ?

— Les Roches Grises. Non ! Les Roches Noires !

Ils y avaient dîné un soir, d'une sole énorme, pour fêter l'anniversaire de Gisèle, et le muscadet l'avait rendue un peu grise.

Tony était heureux de sa décision. Ainsi, il coupait les ponts, pour un temps, avec Andrée et Nicolas.

— Quand as-tu l'intention...

— Je te le dirai tout à l'heure.

Il avait besoin, avant de fixer une date et d'être tout à fait sûr de leur départ, d'un entretien avec son frère. C'est pour voir Vincent, en fait, qu'il emmenait sa femme au cinéma. Il passa devant l'Hôtel des Voyageurs sans s'arrêter, prit la rue Gambetta où il trouva une place à quelques mètres de l'Olympia. On reconnaissait, sur les trottoirs, à leur mise, à leur façon de marcher, de regarder les vitrines éclairées, les Parisiens et les gens du pays.

Ils prenaient toujours les mêmes places, au balcon. A l'entracte, après les actualités, le documentaire et un dessin animé, il proposa :

— Si nous allions boire un verre de bière chez Vincent ?

Les tables de la terrasse étaient presque toutes occupées. Françoise leur en trouva une de libre, l'essuya de la serviette qu'elle tenait à la main.

— Deux bières, Françoise. Mon frère est là ?

— Au comptoir, monsieur Tony.

Dans le café, où la lumière paraissait jaune, des hommes jouaient aux cartes, des habitués que Tony avait vus cent fois dans le même coin, avec les mêmes clients pour les regarder et pour commenter les coups.

— Alors ?

Son frère lui répondit en italien. C'était rare, car, nés en France, ils n'avaient parlé cette langue qu'avec leur mère, qui n'avait jamais pu apprendre le français.

— Je ne sais pas au juste ce qui s'est passé. J'ai l'impression que tout va bien. Il était là, à la terrasse...

— Je sais. Je le voyais d'en haut.

— Dix minutes après ton départ, elle est descendue, sereine, comme si de rien n'était, et a traversé le café en me lançant :

» — Vous remercierez votre femme pour moi, Vincent...

» Elle parlait assez haut pour que son mari l'entende. Elle est sortie du même pas, son sac à la main. Au moment de tourner le coin de la rue Gambetta, elle a paru s'apercevoir soudain de la présence de Nicolas.

» — Toi ! Qu'est-ce que tu fais ici ?

» Elle s'est assise en face de lui et je n'ai pas entendu le reste de leur conversation.

— Ils avaient l'air de se disputer ?

— Non. A certain moment, elle a ouvert son sac pour se remettre tranquillement de la poudre et du rouge à lèvres.

— Comment était-il ?

— Avec lui, c'est difficile à dire. Tu l'as parfois vu rire, toi ? A mon idée, elle s'en est tirée mais, si j'étais à ta place... Gisèle est ici ?

— A la terrasse.

Vincent alla lui dire bonsoir. L'air était doux, le ciel haut. Un express franchit la gare sans s'arrêter ni ralentir. Rue Gambetta, Gisèle posa la main sur le bras de son mari comme elle en avait l'habitude lorsqu'ils se promenaient.

— Ton frère est satisfait de ses affaires ?

— La saison est bonne. Les touristes sont plus nombreux chaque année.

Vincent n'avait pas eu à racheter l'immeuble, mais seulement le fonds de commerce, car le propriétaire, qui tenait l'hôtel avant lui et qui s'était retiré à La Ciotat, ne voulait pas vendre.

Partis d'où ils étaient partis, les deux frères s'étaient bien débrouillés et avaient déjà parcouru un bon bout de chemin.

— Tu as vu Lucia ?

— Non. Elle devait être dans la cuisine. Je n'ai pas eu le temps d'aller l'embrasser.

Il ressentait une gêne indéfinissable, et ce n'était pas la première fois. Gisèle n'ignorait pas sa présence, l'après-midi, à Triant. Or, elle ne lui demandait pas s'il était passé chez son frère.

A certains moments, il aurait préféré qu'elle lui pose des questions, fussent-elles embarrassantes. Etait-ce vraisemblable qu'elle se désintéresse de sa vie en dehors de la maison alors qu'en fin de mois elle l'aidait dans ses écritures et qu'elle était par conséquent au courant de ses affaires ?

Avait-elle des soupçons et préférait-elle les garder pour elle ?

Ils pressaient le pas, car ils entendaient la sonnerie du cinéma et des spectateurs sortaient en hâte du petit bar d'à côté.

Ce n'est qu'au retour, dans l'obscurité de la voiture dont les phares faisaient surgir des paysages en noir et blanc comme ceux du film, qu'il prononça soudain :

— Nous sommes jeudi.

Rien que ce mot-là le faisait rougir. N'évoquait-il pas la chambre bleue, le corps pulpeux d'Andrée, ses cuisses écartées, le sexe sombre qui perdait lentement la semence ?

— Nous pourrions partir samedi. Je téléphonerai demain aux Roches Noires. S'ils ont deux chambres libres, ou même une, dans laquelle on ajouterait un petit lit pour Marianne...

— C'est possible de quitter tes affaires ?

— Au besoin, je ferai un saut ici une fois ou deux.

Il se sentait délivré, se rendant seulement compte du danger auquel il avait échappé.

— Nous resterons là-bas deux semaines, à paresser tous les trois sur la plage.

Il débordait tout à coup de tendresse pour sa fille et s'en voulait de ne pas avoir remarqué sa pâleur. Il avait des torts envers sa femme aussi, mais c'était plus théorique. Par exemple, il aurait été incapable d'arrêter la voiture au bord de la route, de prendre Gisèle dans ses bras, de presser son visage contre le sien en murmurant :

— Je t'aime, tu sais !

Pourtant, cette idée lui passait par la tête. C'était arrivé souvent. Jamais il ne l'avait fait. De quoi avait-il honte ? N'aurait-il pas eu l'air d'un coupable qui demande pardon ?

Il avait besoin d'elle. Marianne aussi avait besoin de sa mère. Et il les avait reniées toutes les deux quand Andrée lui avait posé ses questions. Certes, il les écoutait d'une oreille distraite en se tamponnant la lèvre avec la serviette humide. Elles ne lui en revenaient pas moins avec une netteté gênante et il retrouvait même comme le poids des silences.

— Tu as un beau dos.

C'était ridicule. L'idée ne viendrait pas à Gisèle de s'extasier sur son dos ou sur ses pectoraux.

— Tu m'aimes, Tony ?

Dans la chambre surchauffée qui sentait le sexe, cela sonnait naturellement, alors que, dans le calme de la nuit où le moteur ronronnait, les mots, les intonations devenaient irréels. Il avait cru malin de répondre du bout des lèvres :

— Je crois.

— Tu n'en es pas sûr ?

Pensait-il jouer un jeu ? Ignorait-il que, pour elle, ce n'en était certainement pas un ?

— Tu pourrais passer toute ta vie avec moi ?

Cette question, elle l'avait formulée deux fois en l'espace de quelques minutes. Ne l'avait-il pas entendue déjà au cours de leurs précédentes rencontres dans la même chambre ?

Il avait répondu :

— Bien sûr !

Il jonglait, l'esprit et le corps légers. Elle sentait si bien que les mots ne venaient pas du fond de sa conscience qu'elle insistait :

— Tu en es si sûr que ça ? Tu n'aurais pas peur ?

Imbécile qu'il était de répliquer, l'œil malin :

— Peur de quoi ?

Le dialogue entier lui revenait mot pour mot.

— Tu imagines ce que seraient nos journées ?

Elle n'avait pas dit les nuits, mais les journées, comme si son intention était de passer tout leur temps au lit.

— On finirait par s'habituer.

— A quoi ?

— A nous deux.

Et c'était Gisèle qui se trouvait dans l'ombre à côté

de lui, regardant le même tronçon de route, les mêmes arbres, les mêmes poteaux jaillir de l'obscurité pour basculer aussitôt dans le néant. Il était tenté de lui prendre la main, n'osait pas.

Il l'avouerait un jour au professeur Bigot, qui préférait le visiter dans sa cellule qu'à l'infirmerie de la prison. Bien que le gardien lui apportât une chaise, il s'asseyait au bord du lit.

— Si je comprends bien, vous aimiez votre femme ?

Tony écartait les mains pour répondre tout bêtement :

— Oui.

— Seulement, vous ne trouviez pas le contact avec elle...

Il n'avait pas soupçonné que la vie pût être si compliquée. Qu'est-ce que le psychiatre entendait exactement par contact ? Ils vivaient comme tous les ménages, non ?

— Pourquoi, après Marianne, n'avez-vous pas eu d'autres enfants ?

— Je ne sais pas.

— Vous n'en désiriez plus ?

Au contraire ! Il en aurait voulu six, il en aurait voulu douze, plein d'enfants dans la maison, comme en Italie. Quant à Gisèle, elle parlait de trois, deux garçons et une fille, et ils ne faisaient rien pour les éviter.

— Vous aviez de fréquents rapports sexuels avec votre femme ?

— Surtout au début.

Il était franc, n'essayait pas de cacher quoi que ce soit. Il s'était pris au jeu et mettait autant d'acharnement à comprendre que ses interlocuteurs successifs.

— Pendant sa grossesse, bien entendu, il y a eu une période...

— C'est alors que vous avez pris l'habitude de voir d'autres femmes ?

— Je l'aurais fait de toute façon.

— C'est un besoin ?

— Je ne sais pas. Tous les hommes sont comme ça, non ?

Le professeur Bigot avait une cinquantaine d'années, un grand fils qui étudiait à Paris, une fille récemment mariée à un hématologue qu'elle aidait dans ses travaux de laboratoire.

Le psychiatre, peu soigné, portait des vêtements lâches, fripés, avec souvent un bouton qui pendait, et il se mouchait à chaque instant comme s'il était affligé d'un rhume perpétuel.

Comment lui faire comprendre ce retour dans la nuit ? Il ne s'était rien passé de mémorable. Gisèle et lui n'avaient pas échangé plus de vingt phrases. A ce moment-là, il était convaincu qu'elle ne savait rien, rien de la scène de l'après-midi, en tout cas, probablement rien de ses rapports avec Andrée, même si elle avait eu vent de quelques autres frasques.

C'est cependant en parcourant ces douze kilomètres qu'il s'était senti le plus près d'elle, le plus uni à elle. Il avait failli lui dire :

— J'ai besoin de toi, Gisèle.

Besoin de la sentir avec lui. Besoin qu'elle ait confiance en lui.

— Quand je pense au nombre d'années que j'ai perdues par ta faute.

Ce n'était pas la voix de sa femme, mais celle d'Andrée, un peu rauque, venant du fond de la gorge qui se gonflait. Elle lui reprochait d'être parti, à seize ans, d'avoir quitté le village pour apprendre un métier ailleurs.

Il s'était rendu à Paris et avait travaillé dans un garage jusqu'à son service militaire. Il ne s'était jamais préoccupé d'elle. Pour lui, c'était une fille trop grande qui habitait le château et dont le père était un héros du pays.

Une fille hautaine et froide. Une statue.

— Pourquoi ris-tu ?

Car il riait, dans l'auto, ou plutôt ricanait.

— Je pensais au film.

— Tu l'as trouvé bon ?

— Comme tous les films.

Une statue qui s'animait drôlement et qui lui demandait en regardant très loin :

— Dis-moi, Tony ? Si je devenais libre ?

Chacun savait que Nicolas était malade et ne ferait pas de vieux os, mais de là à en parler presque au passé ! Il avait feint de ne pas entendre.

— Tu te rendrais libre aussi ?

La locomotive avait sifflé furieusement.

— Tu dis ?

— Je te demande si, dans ce cas-là...

Qu'aurait-il répondu si, dans la foule qui sortait de la gare et traversait la place, il n'avait reconnu Nicolas ?

Il y avait de la lumière, chez eux, au rez-de-chaussée. Les sœurs Molard, qui ne manquaient pas de regarder l'heure, avaient dû ranger leurs travaux de couture et se tenaient prêtes à partir car, d'habitude, elles se couchaient à neuf heures, parfois plus tôt.

— Je rentre la voiture.

Elle en descendait, contournait la maison pour y pénétrer par la cuisine, cependant qu'il conduisait la camionnette dans le hangar argenté, près des monstres mécaniques peints en jaune et en rouge vif.

Quand il atteignit la maison, les deux demoiselles franchissaient le portail.

— Bonne nuit, Tony.

— Bonne nuit.

Gisèle regardait autour d'elle pour s'assurer que rien ne traînait.

— Tu ne veux pas boire ? Tu n'as pas faim ?

— Merci.

Il se demanderait plus tard si, à ce moment précis, elle n'attendait pas un geste, un mot de lui. Etait-ce possible qu'elle ait eu l'intuition d'une menace qui pesait sur eux ?

D'habitude, lorsqu'ils rentraient du cinéma, elle montait tout de suite pour écouter si Marianne respirait.

— Je sais que c'est ridicule, lui avait-elle avoué un soir. Cela ne m'arrive que hors de la maison. Quand j'y suis, il me semble que je la protège.

Elle avait corrigé :

— Que nous la protégeons. Dès que je m'éloigne, elle me paraît si vulnérable !

Elle se penchait réellement sur sa fille, anxieuse, jusqu'à ce qu'elle perçoive son souffle régulier.

Il ne trouva rien à dire. Ils se déshabillèrent face à face, comme chaque soir. Depuis sa maternité, Gisèle avait pris des hanches, mais le reste du corps restait maigre et ses seins pâles étaient abîmés.

Comment faire comprendre aux autres qu'il l'aimait, alors que ce soir-là, pris d'un besoin de s'épancher, il n'avait pas été capable de le lui faire comprendre à elle ?

— Bonne nuit, Tony.

— Bonne nuit, Gisèle.

C'était elle qui éteignait la lampe de chevet, placée de son côté, parce qu'elle se levait la première et qu'en hiver il faisait encore noir.

N'hésita-t-elle pas un instant à couper le contact ? Il retint sa respiration.

Clic !

3

Il n'était pas d'un tempérament nerveux, ils lui firent passer assez de tests, à Poitiers, pour le savoir, d'abord le médecin de la prison, le psychiatre, puis cette étrange femme aux yeux de romanichelle, docteur en psychologie, qu'il trouvait tantôt comique et tantôt effrayante.

Ils avaient plutôt tendance à s'étonner de son calme, sinon à le lui reprocher, et quelqu'un, aux assises, l'avocat général ou le représentant de la partie civile, qualifierait ce calme de cynique et d'agressif.

C'était exact qu'en général il restait maître de lui, plus enclin à attendre les événements, en se tenant sur ses gardes, qu'à se porter en avant.

Les deux semaines aux Sables-d'Olonne n'avaient-elles pas été des semaines heureuses ? Heureuses et un peu tristes, avec de soudaines poussées d'anxiété qui n'échappaient pas toujours à sa femme ni à sa fille.

Ils menaient l'existence de la plupart des estivants, prenaient leur petit déjeuner à la terrasse, Marianne déjà en maillot de bain rouge, et, dès neuf heures, gagnaient tous les trois la plage où ils n'avaient pas tardé à se constituer comme un espace réservé.

Deux jours avaient suffi pour créer des habitudes, des rites, pour connaître leurs voisins dans la salle à manger des Roches Noires, sourire au vieux monsieur et à la vieille dame de la table d'en face qui adressaient des signes affectueux à Marianne que la barbe de l'homme fascinait.

— S'il penche encore un peu la tête, sa barbe trempera dans sa soupe.

Chaque soir elle l'épiait, persuadée que cela se produirait un jour.

Les mêmes gens, matin et après-midi, prenaient place sous les parasols autour d'eux, la dame blonde qui s'enduisait longuement le corps d'huile et qui, étendue sur le ventre, les bretelles de son maillot descendues, lisait toute la journée, les gamins mal élevés des Parisiens, qui tiraient la langue à Marianne et qui, dans l'eau, la bousculaient...

Gisèle, déroutée par son désœuvrement, tricotait un chandail bleu ciel que leur fille porterait pour son entrée à l'école, et ses lèvres remuaient tandis qu'elle comptait les points.

L'idée de ces vacances aux Sables ne s'avérait-elle pas une fausse bonne idée ? Il jouait avec Marianne, lui apprenait à nager, de l'eau jusqu'au ventre, la main sous son menton. Il avait essayé d'apprendre à sa femme aussi mais, dès qu'elle perdait pied, elle s'affolait, battait des mains, se raccrochait à lui. Une fois qu'une vague inattendue l'avait submergée, elle lui avait lancé un regard où il avait cru lire de la peur. Pas la peur de la mer. La peur de lui.

Pendant des heures, il se montrait calme, détendu, jouait au ballon, marchait avec Marianne jusqu'au bout de la jetée. Ils se promenèrent tous ensemble dans les rues étroites de la ville, visitèrent la cathédrale, photographièrent les bateaux de pêche dans le bassin, les Sablaises en jupe plissée et en sabots vernis à la criée au poisson.

Ils étaient peut-être dix mille à mener la même existence et, quand un orage éclatait, à ramasser leurs affaires pour se précipiter vers les hôtels et les cafés.

Pourquoi, par moments, devenait-il comme absent ? Se reprochait-il de ne pas être à Saint-Justin, où Andrée lui faisait peut-être en vain le signal ?

— A propos de ce signal, monsieur Falcone...

Après quelques semaines de Poitiers, il mélangeait les questions du juge Diem et celles du psychiatre. Il leur arrivait de dire la même chose, avec des mots différents, dans un autre contexte. Ne se concertaient-ils pas entre les interrogatoires et n'espéraient-ils pas qu'il finirait par se contredire ?

— Quand avez-vous décidé de ce signal, votre maîtresse et vous ?

— Le premier soir.

— Vous voulez dire en septembre, sur le bas-côté de la route ?

— Oui.

— Qui en a eu l'idée ?

— Elle. Je vous l'ai déjà dit. Elle voulait que nous nous retrouvions ailleurs qu'à l'orée d'un bois et elle a tout de suite pensé à l'hôtel de mon frère.

— Et à la serviette ?

— Elle a d'abord suggéré de placer une marchandise déterminée dans un coin d'une des vitrines.

Il y avait deux vitrines, bourrées d'articles d'épicerie, de pièces de coton, de tabliers, de galoches. Le magasin des Despierre se trouvait dans la rue principale, à deux pas de l'église, et on ne pouvait traverser le bourg sans passer devant.

L'intérieur était sombre, les deux comptoirs encombrés de marchandises et il y avait des tonneaux, des caisses contre les murs, des rayonnages pleins de conserves et de bouteilles, des pantalons de coutil, des paniers d'osier et des jambons qui pendaient au plafond.

De toutes les odeurs de son enfance, celle qui régnait là était la plus forte, la plus caractéristique, dominée par celle des fûts de pétrole, car les hameaux et les fermes isolées n'avaient pas encore l'électricité.

— Quelle marchandise ?

— Il a été question d'un paquet d'amidon. Puis elle a craint que son mari le déplace à son insu pendant qu'elle s'occupait de la cuisine.

Comment pouvaient-ils espérer, en quelques semaines, même en quelques mois, à raison de deux ou trois heures par jour, tout connaître d'une vie qui leur était tellement étrangère ? Pas seulement sa vie et celle de Gisèle, mais la vie d'Andrée, de Mme Despierre, de Mme Formier, la vie du village, les allées et venues entre Saint-Justin et Triant. Rien que pour comprendre la chambre bleue, il aurait fallu...

— Elle a décidé en fin de compte que, les jeudis où elle pourrait me rejoindre à l'hôtel, elle mettrait une serviette à sécher sur le rebord de sa fenêtre.

La fenêtre de leur chambre, à Nicolas et à elle ! Car ils dormaient dans la même chambre. C'était, au-dessus de la boutique, une des trois fenêtres étroites, avec barre d'appui, au-delà de laquelle on apercevait, dans l'ombre, sur le mur brunâtre, une lithographie dans un cadre noir et or.

— De sorte que, chaque jeudi matin...

— Je passais devant sa maison.

Qui sait si Andrée, pendant qu'il vivait en maillot sur la plage, ne l'appelait pas au secours et si la serviette ne se trouvait pas en permanence sur la barre d'appui ? Certes, il les avait vus rentrer de Triant dans la 2 CV, mais il ne savait rien de leur état d'esprit.

— Je me demande, monsieur Falcone, si, en proposant ces vacances à votre femme...

— Elle venait de me parler de la pâleur de Marianne.

— Je sais. Vous avez sauté sur l'occasion. Une occasion, peut-être, de la rassurer, de jouer les bons maris, les bons pères de famille, afin de dissiper ses soupçons. Que pensez-vous de cette explication ?

— Elle est fausse.

— Vous continuez à prétendre que votre but était de vous éloigner de votre maîtresse ?

Il détestait ce mot-là, qu'il était bien obligé d'accepter.

— Plus ou moins.

— Vous aviez déjà décidé de ne plus la revoir ?

— Je n'avais aucun plan précis.

— Vous l'avez revue au cours des mois suivants ?

— Non.

— Elle ne vous a plus fait le signal ?

— Je l'ignore, car j'ai évité désormais de passer devant sa maison le jeudi matin.

— Et cela, uniquement parce qu'un après-midi vous avez vu son mari sortir de la gare et s'asseoir à la terrasse de l'hôtel pour boire une limonade ? C'est la seule femme, avez-vous affirmé, avec qui vous ayez connu la plénitude dans l'amour physique. Vous avez parlé, si je me souviens bien, d'une véritable révélation...

C'était vrai, même s'il n'avait pas employé ce mot-là. Aux Sables-d'Olonne, il lui arrivait d'évoquer la chambre bleue, sans le vouloir, et de serrer les dents de désir. D'autres fois, il se montrait impatient sans raison, grondait Marianne pour un rien ou devenait absent, le regard dur. Gisèle et sa fille échangeaient un coup d'œil et la mère semblait dire à l'enfant :

— Ne fais pas attention. Ton père a des soucis.

N'étaient-elles pas troublées aussi, l'instant d'après, de le voir trop doux, trop patient, trop affectueux ?

— Vous êtes ambitieux, monsieur Falcone ?

Il était obligé de réfléchir, car il ne s'était jamais posé la question. Existe-t-il vraiment des gens qui vivent en se regardant dans un miroir et en s'interrogeant sur eux-mêmes ?

— Cela dépend de ce que vous entendez par là. A douze ans, j'ai travaillé après la classe et pendant les vacances pour m'acheter un vélo. Plus tard, j'ai rêvé d'une moto et je suis allé à Paris. Quand j'ai épousé Gisèle, l'idée m'est venue de m'établir à mon compte. A Poitiers, nous montions des machines agricoles qui nous arrivaient d'Amérique en pièces détachées et je gagnais bien ma vie.

— Votre frère s'est mis à son compte, lui aussi, après avoir tâté de plusieurs métiers.

Quel rapport existait-il entre les deux carrières ?

Ce n'était pas le juge Diem, mais le professeur Bigot qui parlait, lentement, comme s'il réfléchissait à voix haute.

— Je me demande si le fait que vous êtes tous les deux de parents italiens, tous les deux étrangers dans un village français... On m'a dit que votre père est maçon ?...

Le juge avait questionné tout un après-midi le vieux Falcone, qu'on était allé chercher dans sa maisonnette de La Boisselle.

— Que savez-vous de votre père ?

— Il est originaire d'un village très pauvre du Piémont, Larina, à une trentaine de kilomètres de Vercelli. Là-bas, dans la montagne qui ne peut nourrir tout le monde, la plupart des garçons s'expatrient et mon père, à quatorze ou quinze ans, a fait comme les autres. Il est venu en France avec une équipe qui a percé un tunnel, j'ignore lequel, dans la région de Limoges ; ensuite il est allé ailleurs percer d'autres tunnels...

Il était difficile de parler d'Angelo Falcone, que tout le monde, à Saint-Justin, appelait le vieil Angelo, car il n'était pas tout à fait un homme comme un autre.

— Il a beaucoup voyagé en France, du nord au sud et de l'est à l'ouest, pour finir par se fixer à La Boisselle.

Dans la mémoire de Tony, cela restait un endroit étonnant. Jadis, La Boisselle, à deux kilomètres et demi de Saint-Justin, avait été un couvent bâti sur l'emplacement d'un ancien château fort, avec les pierres de ce château, et on voyait encore, envahis de mauvaises herbes, des tronçons de vieux murs, des fossés pleins d'eau croupie dans lesquels il avait pêché la grenouille.

Sans doute les moines se livraient-ils à l'agriculture, car il restait, encadrant la grande cour, des bâtiments de toutes sortes, des écuries, des ateliers, des chais.

Les Coutant en occupaient la majeure partie et possédaient une dizaine de vaches, des moutons, deux chevaux de labour, un vieux bouc qui chiquait le tabac.

Ils louaient les bâtiments dont ils n'avaient pas besoin et qui étaient encore habitables.

Cela constituait une petite colonie disparate qui comptait, outre les Falcone, une famille tchèque et des gens venus d'Alsace avec leurs huit enfants.

— Votre père n'était plus très jeune lorsque vous êtes né.

— Il avait quarante-trois ou quarante-quatre ans quand il s'est rendu dans son village du Piémont d'où il a ramené ma mère.

— Si je comprends bien, il a décidé que l'heure était venue de se marier et il est allé chercher une femme dans son pays natal ?

— Je crois que cela s'est passé ainsi.

De son nom de jeune fille, sa mère s'appelait Maria Passaris et, à son arrivée en France, elle avait vingt-deux ans.

— Ils faisaient bon ménage ?

— Je n'ai jamais entendu de dispute.

— Votre père continuait à travailler de son métier de maçon ?

— Il n'en connaissait pas d'autre et l'idée ne lui est jamais venue d'en changer.

— Vous êtes né le premier, puis, trois ans plus tard, votre frère Vincent.

— Ensuite ma sœur Angelina.

— Elle habite Saint-Justin ?

— Elle est morte.

— En bas âge ?

— A six mois. Ma mère s'était rendue à Triant, j'ignore pourquoi. Avant de venir en France, elle n'était jamais sortie de son village. Ici, dans un pays dont elle ne parlait pas la langue, elle quittait rarement la maison. Ce jour-là, à Triant, on suppose qu'elle s'est trompée de portière et qu'elle est descendue du train à contre-voie. Elle a été fauchée par un express avec le bébé qu'elle portait dans ses bras.

— Quel âge aviez-vous ?

— Sept ans. Mon frère en avait quatre.

— C'est votre père qui vous a élevés ?

— Oui. En rentrant de son travail, il faisait la cuisine et le ménage. Je ne l'ai pas assez connu avant pour savoir si l'accident l'avait changé.

— Que voulez-vous dire ?

— Vous le savez bien. Ne l'avez-vous pas questionné ?

Tony devenait agressif.

— Si.

— Qu'est-ce que vous en pensez ? Les gens du pays ont-ils raison ? Mon père est-il un simple ?

A Saint-Justin, on ne disait pas simple d'esprit. Le mot simple suffisait. Quant à Bigot, embarrassé, il préférait ne répondre que par un geste vague.

— J'ignore si vous en avez tiré quelque chose. Mon frère et moi ne l'avons entendu parler, pendant des années, que quand c'était indispensable. A soixante-dix-huit ans, il vit seul dans la maison où nous sommes nés et continue à effectuer, par-ci par-là, de petits travaux de maçonnerie.

» Il refuse de s'installer chez moi ou chez Vincent. Sa seule distraction est de construire, dans son jardinet, un village en miniature. Il y a vingt ans qu'il l'a commencé. L'église mesure moins d'un mètre mais il n'y manque aucun détail.

» On voit l'auberge, la mairie, un pont sur un torrent, un moulin à eau et, chaque année, une ou deux maisons s'ajoutent aux autres. Il paraît que c'est une reproduction fidèle de Larina, son village et celui de ma mère.

Il ne révélait pas le fond de sa pensée. Son père était un être fruste, d'une intelligence limitée, qui, jusqu'à la quarantaine passée, s'était accommodé de sa solitude. Tony comprenait assez bien son voyage à Larina pour aller y chercher femme.

Cette Maria Passaris, assez jeune pour être sa fille, Angelo Falcone l'avait aimée à sa façon. Pas avec des mots, ni avec de grandes effusions, car c'était un homme qui ne s'extériorisait pas.

Quand elle était morte en même temps que sa fille, Angelo Falcone s'était renfermé définitivement et bientôt il commençait à édifier dans le jardin son étrange village de poupées.

— Il n'est pas fou ! disait soudain Tony avec force.

Il devinait ce que certains devaient penser, y compris, peut-être, le professeur Bigot.

— Je ne suis pas fou non plus !

— Il n'en a jamais été question.

— Alors, pourquoi me questionnez-vous pour la sixième ou la septième fois ? Parce que les journaux parlent de moi comme d'un monstre ?

On n'en était pas là. Aux Roches Noires, on vivait sur la plage, un goût de sable à la bouche, et on retrouvait du sable dans son lit et au fond de ses poches.

Il ne plut que deux fois en quinze jours. Le soleil pénétrait les yeux et la peau au point de donner le vertige, surtout quand on fixait longtemps les vagues à crête blanche qui s'en venaient lentement du large, les unes derrière les autres, et qui, en s'écrasant, lançaient des myriades de gouttelettes lumineuses.

Marianne attrapa un coup de soleil. Après quelques jours, Tony avait bruni et quand il se déshabillait, le soir, la peau livide dessinait le contour du maillot. Seule Gisèle, qui ne quittait pas l'ombre du parasol, n'avait pas changé.

Que se passait-il à Saint-Justin dans la sombre boutique des Despierre ? Et, le soir, dans la chambre où Andrée et Nicolas se dévêtaient l'un devant l'autre ?

La serviette à bordure rose n'était-elle pas posée sur la barre d'appui comme un signal d'alarme ? La mère de Nicolas, au visage de pierre, n'avait-elle pas traversé le jardin pour prendre la situation en main et se venger enfin de sa belle-fille ?

Ils croyaient, ces gens de Poitiers, policiers, magistrats, médecins, et jusqu'à l'inquiétante doctoresse en psychologie, qu'ils allaient établir la vérité, alors qu'ils ignoraient à peu près tout des Despierre, des Formier, de tant d'autres qui avaient aussi leur importance.

Et de lui, Tony, que savaient-ils ? Moins que lui-même, non ?

Mme Despierre était certainement la personnalité la plus importante de Saint-Justin, plus importante et plus redoutée que le maire lui-même, qui était cependant un riche marchand de bestiaux. Dans un village où hommes et femmes d'une même génération étaient allés à l'école ensemble, rares étaient ceux ou celles qui se permettaient de l'appeler Germaine, à plus forte raison de la tutoyer. Pour tout le monde, elle était Mme Despierre.

Tony se trompait certainement, puisqu'elle avait à peine dépassé la trentaine quand il avait commencé à faire des achats pour ses parents à l'épicerie : il ne la revoyait dans son souvenir qu'avec des cheveux gris, du même gris qu'à présent. Derrière son comptoir, elle portait une blouse grise, son visage couleur de craie mettant la seule note blanche.

Il avait connu son mari, un homme chétif vêtu d'une blouse aussi, trop longue pour lui, portant lorgnon, le geste hésitant, le regard peureux.

On le voyait parfois vaciller et sa femme le traînait dans l'arrière-boutique dont elle refermait la porte tandis que les clientes se regardaient d'un air entendu et hochaient la tête.

Tony avait entendu parler du haut mal bien avant

de comprendre que Despierre était épileptique et que, derrière la porte close, il se débattait convulsivement, couché sur le plancher, les mâchoires serrées, la bave lui coulant sur le menton.

Il se rappelait son enterrement, qu'il avait suivi avec les autres enfants de l'école en rangs, sauf Nicolas qui conduisait le deuil avec sa mère.

On les disait très riches et très avares. Non seulement ils étaient propriétaires de plusieurs maisons du bourg, mais deux grosses fermes, exploitées en métayage, leur appartenaient, sans compter le hameau de La Guipotte.

— Pourquoi, monsieur Falcone, avoir choisi de vous installer à Saint-Justin, que vous aviez quitté depuis plus de dix ans ?

N'avait-il pas déjà répondu ? On lui répétait si souvent les mêmes phrases qu'il ne savait plus. Il devait lui arriver de se contredire, car il ne connaissait pas lui-même ces « pourquoi » et ces « comment ».

— Peut-être à cause de mon père.

— Vous le voyiez très peu.

Une fois par semaine environ. Le vieil Angelo était venu chez lui deux ou trois fois et avait paru mal à l'aise. Gisèle, qui était pour lui une étrangère, l'impressionnait. Tony préférait, le samedi soir, descendre à La Boisselle.

La porte restait ouverte. On n'allumait pas la lampe. On entendait les grenouilles coasser dans les marais et les deux hommes, assis sur des chaises à fond de paille, laissaient couler le temps sans mot dire.

— N'oubliez pas que mon frère était déjà installé à Triant.

— Vous êtes sûr que vous n'êtes pas revenu pour Andrée ?

— Encore !

— Vous étiez au courant de son mariage avec votre ancien ami Nicolas ?

Non ! Cela avait été une surprise. Entre les Despierre et les Formier existait un abîme et les deux mères, à peu près du même âge, représentaient des mondes opposés.

Si Mme Despierre était le prototype de la paysanne enrichie, la femme du docteur Formier était, elle, l'image d'une certaine bourgeoisie de province tombée dans la gêne et refusant de perdre la face.

Son père, le notaire Bardave, était notaire à Villiers-le-Haut et la famille, de père en fils, fréquentait depuis si longtemps les châtelains du pays, jouant au bridge et chassant avec eux, qu'ils en arrivaient à se croire des leurs.

Il n'avait rien laissé à ses enfants. Le docteur Formier n'avait rien légué non plus à sa femme et à sa fille, sinon une rente si modeste que, bien qu'habitant toujours le château et s'habillant comme des personnes de la ville, elles ne mangeaient pas toujours à leur faim.

Laquelle, de Mme Despierre ou de Mme Formier,

avait proposé à l'autre cette union ? Orgueil, sinon vengeance, de la part de l'épicière ? Désir, chez la bourgeoise, de voir sa fille à l'abri du besoin, de savoir qu'elle serait riche un jour et que, vraisemblablement, elle ne tarderait pas trop à être veuve ?

— Nicolas, à l'école, était, paraît-il, le souffre-douleur de ses condisciples.

Vrai ou faux, comme le reste. Mal portant, souvent en proie à des douleurs d'estomac, incapable de jouer aux jeux des autres, il devait fatalement devenir la risée des garçons vigoureux. On le traitait de fille. On l'accusait d'être froussard et de se réfugier dans les jupes de sa mère. En outre, inapte à se défendre, il rapportait au maître d'école les niches qu'on lui faisait.

Tony n'appartenait pas au clan de ses tortionnaires. Peut-être n'était-il pas meilleur que les autres mais, en tant qu'étranger, il se trouvait lui-même un peu en marge.

Deux fois, la première pendant la récréation, la seconde à la sortie de l'école, il avait pris la défense de Nicolas qu'il ne savait pas encore malade.

Sa première crise l'avait pris soudainement, à douze ans et demi, en pleine classe. On avait entendu le bruit d'un corps tombant sur le plancher et, comme tout le monde se retournait, l'instituteur avait frappé son pupitre de sa règle.

— Que personne ne quitte sa place !

C'était au printemps. Les marronniers de la cour étaient en fleur. Il y avait, cette année-là, une invasion de hannetons et on suivait leur vol maladroit dans la classe où ils se heurtaient aux fenêtres et aux murs.

Malgré l'avertissement du maître, tous les enfants regardaient Nicolas et les visages pâlissaient, certains avaient envie de vomir tant le spectacle était impressionnant.

— Tout le monde dans la cour !

Cela avait été le signal d'une fuite générale, mais les plus braves revenaient bientôt vers les fenêtres pour voir l'instituteur enfoncer son mouchoir dans la bouche de Nicolas.

Un des gamins s'était précipité vers l'épicerie et Mme Despierre n'avait pas tardé à arriver, vêtue de son habituelle blouse grise.

— Qu'est-ce qu'ils font ? demandait-on à ceux qui regardaient par la fenêtre.

— Rien. Ils le laissent par terre. Il est sûrement en train de mourir.

On se sentait mauvaise conscience, ce jour-là.

— Tu crois qu'il a mangé quelque chose de contraire ?

— Non. Il paraît que son père avait les mêmes attaques.

— C'est une maladie qui s'attrape ?

Un quart d'heure ou une demi-heure plus tard — le temps ne comptait pas — Mme Despierre avait traversé la cour, tenant par la main son fils qui avait repris son aspect habituel et qui paraissait étonné.

Il n'avait pas eu d'autres crises à l'école. A ce que

Tony avait compris, il les sentait presque toujours venir, parfois plusieurs jours à l'avance, et sa mère le gardait à la maison.

On n'en parlait pas chez Mme Despierre. C'était, à l'épicerie, un sujet défendu. Sans savoir pourquoi, tout le monde considérait cette maladie comme une honte.

Nicolas n'était pas allé au collège de Triant, n'avait pas fait de service militaire, ni fréquenté les bals. Il n'avait possédé ni vélo, ni moto, et il ne conduisait pas la 2 CV.

Parfois, il gardait le silence pendant huit jours, sombre, soupçonneux, et regardant les gens comme s'ils lui voulaient du mal. Il ne buvait ni alcool, ni vin, et son estomac ne tolérait que des aliments de régime.

Tony n'avait-il pas pensé à lui avec gêne, le soir de septembre, au bord de la route, devant le corps demi-nu d'Andrée ?

— Ne lui en vouliez-vous pas, plus ou moins consciemment, d'être riche ?

Il haussait les épaules. Certes, avant de savoir Nicolas malade, avant la première crise à l'école, il l'avait envié, d'une envie enfantine : il rêvait aux bocaux de bonbons multicolores, aux boîtes de biscuits à couvercle de verre dans lesquelles, pensait-il, Nicolas n'avait qu'à puiser, alors que lui-même n'avait droit, de loin en loin, qu'à des sucreries bon marché.

— Quand vous avez appris son mariage, ne vous est-il pas venu à l'esprit qu'il avait en quelque sorte acheté Andrée, ou que sa mère l'avait achetée pour lui ?

Peut-être. Il avait un peu méprisé « la statue », car il refusait de croire qu'elle s'était mariée par amour.

A la réflexion, il l'avait plainte. Lui non plus, enfant, n'avait pas toujours mangé à sa faim, mais il n'habitait pas le château et il n'avait pas besoin de prendre de grands airs.

Il ignorait ce qui avait été convenu lors du mariage. Chacune des mères, comme il les connaissait, avait dû poser ses conditions. Elles habitaient presque face à face. Le château se trouvait à droite de l'église, près du presbytère. De l'autre côté de la place, au coin de la rue Neuve, l'épicerie Despierre s'adossait à la mairie et à l'école.

Il y avait eu un grand mariage en blanc, un banquet à l'auberge, dont on parlait encore, mais les mariés n'étaient pas partis en voyage de noces et ils avaient passé la nuit dans la chambre qu'ils occupaient depuis au-dessus du magasin.

Mme Despierre, elle, s'était retirée dans une maison sans étage qui donnait sur le jardin, de sorte qu'une vingtaine de mètres la séparaient de son fils et de sa bru.

Les premiers temps, on voyait les deux femmes au comptoir et c'était la mère qui continuait à préparer les repas. Une vieille du pays, chaussée de souliers d'homme, venait chaque jour pour le nettoyage.

Tout le monde les observait et on n'avait pas tardé

à noter que Mme Despierre et Andrée ne s'adressaient la parole que pour les besoins du commerce.

Plus tard, la mère rentra chez elle pour ses repas. Enfin, après quelques mois, on cessa de la voir dans le magasin et dans la maison, tandis que son fils, deux ou trois fois par jour, traversait le jardin pour aller l'embrasser.

Cela signifiait-il qu'Andrée avait gagné la partie ? Etait-elle décidée, en se mariant, à évincer peu à peu sa belle-mère ?

Huit fois, il s'était trouvé avec elle dans la chambre bleue et il n'avait pas eu la curiosité de lui poser la question, préférant ne pas savoir, ne pas trop penser à cette partie de la vie d'Andrée qu'il connaissait surtout nue et déchaînée.

Il y avait une vérité qu'il sentait confusément mais qu'il était incapable d'exprimer. Elle ressortait, lui semblait-il, des phrases prononcées le 2 août, ce fameux 2 août qu'il avait vécu candidement, sans se douter qu'il en serait tant question et que les journaux en feraient des titres sur plusieurs colonnes.

Le reporter d'un grand journal parisien allait même lancer une formule que reprendraient tous ses confrères : *Les Amants Frénétiques*.

— Tu aimerais passer toute ta vie avec moi ?

Il avait répondu :

— Bien sûr.

Il ne le niait pas. C'était lui qui avait rapporté cette conversation au juge. Mais l'important était le ton. Il parlait sans y croire. Ce n'était pas réel. Dans la chambre bleue, rien n'était réel. Ou plutôt il s'agissait d'une réalité différente, incompréhensible ailleurs.

Il avait essayé de l'expliquer au psychiatre. Bigot, sur le moment, avait l'air de comprendre, mais, un peu plus tard, par une question ou une remarque, il montrait qu'il n'avait rien compris du tout.

Si Tony avait envisagé de vivre avec elle, il n'aurait pas dit :

— Bien sûr !

Il ignorait ce qu'il aurait répondu, mais il aurait trouvé d'autres mots. Andrée ne s'y était pas trompée, puisqu'elle avait insisté :

— Tu en es si sûr que ça ? Tu n'aurais pas peur ?

— Peur de quoi ?

— Tu imagines ce que seraient nos journées ?

— *On finirait par s'habituer !*

— A quoi ?

Etait-ce réel, ça ? Aurait-il parlé ainsi à Gisèle ? Elle jouait le jeu, elle aussi, repue, les cuisses écartées.

— *A nous deux.*

Or, justement, ils n'étaient deux que dans un lit, que dans la chambre bleue qu'ils mettaient une sorte de frénésie, pour parler comme le journaliste, à imprégner de leur odeur.

Ils n'avaient jamais été deux ailleurs, sinon le temps de faire l'amour pour la première fois, dans les hautes herbes et les orties en bordure du bois de Sarelle.

— Si vous ne l'aimiez pas, comment expliquez-vous...

Qu'est-ce qu'ils entendaient par aimer ? Le professeur Bigot aurait-il pu lui fournir une définition de ce mot-là, lui qui prétendait rester sur un terrain scientifique ? Comment sa fille, qui venait de se marier, aimait-elle son mari ?

Et le petit juge, M. Diem, avec son auréole de cheveux fous ? Sa femme venait de lui donner son premier enfant et il devait lui arriver, comme à tous les jeunes pères, comme c'était arrivé à Tony, de se relever la nuit pour donner le biberon. Comment aimait-il sa femme ?

Pour leur répondre, il aurait fallu pouvoir leur raconter des moments qui ne se racontent pas, des moments comme il en avait vécu aux Sables-d'Olonne.

— Pourquoi choisir Les Sables plutôt que telle plage de Vendée ou de Bretagne ?

— Parce que nous y étions allés la première année de notre mariage.

— Ainsi, votre femme a pu croire que c'était un pèlerinage, que vous attachiez à cet endroit une valeur sentimentale ? N'est-ce pas exactement ce que vous auriez fait si vous aviez voulu endormir sa méfiance ?

Il ne pouvait que se mordre les lèvres et bouillir en dedans. Cela n'aurait servi à rien de se révolter.

Leur raconter la dernière journée à la mer ?... Il y avait d'abord eu le matin... Couché sous le parasol, il jetait parfois, à travers ses cils, un coup d'œil à sa femme qui, assise dans un fauteuil-hamac à rayures, se pressait de finir le pull-over bleu ciel.

— A quoi penses-tu ? lui avait-elle demandé.

— A toi.

— Qu'est-ce que tu penses ?

— Que j'ai eu de la chance de te rencontrer.

Ce n'était vrai qu'en partie. Il entendait Marianne, derrière lui, faire semblant de lire le texte d'un livre d'images et il avait commencé par se dire que, dans douze ou quinze ans, elle serait amoureuse, qu'elle se marierait, qu'elle les quitterait pour partager la vie d'un homme.

D'un inconnu, en somme, car ce n'est pas en quelques mois, ni en deux ou trois ans, qu'on se connaît réellement.

C'est ainsi qu'il en était arrivé à Gisèle. Il la regardait tricoter, grave et détendue. Au moment où elle lui posait sa question, il se demandait justement à quoi elle pensait elle-même.

En réalité, il ignorait l'opinion qu'elle se faisait de lui, comment elle le voyait, comment elle jugeait ses faits et gestes.

Ils étaient mariés depuis sept ans. Alors, il avait essayé d'imaginer leur vie plus tard. Ils vieilliraient petit à petit. Marianne deviendrait une jeune fille. Ils assisteraient à ses noces. Un jour, elle leur annoncerait qu'elle attendait un bébé et, à la maternité, le père aurait le pas sur eux.

N'est-ce pas à partir de ce moment que Gisèle et lui s'aimeraient vraiment ? Ne faut-il pas de longues années pour apprendre à se connaître, avec beaucoup de souvenirs en commun, des souvenirs comme celui de ce matin qu'ils étaient en train de vivre ?

Sans doute leur esprit suivait-il des chemins parallèles puisque, un peu plus tard, sa femme murmurait :

— Cela me fait un drôle d'effet de penser que Marianne va déjà entrer à l'école.

Lui en était déjà au mariage !

Leur fille sentait qu'ici elle pouvait tout se permettre et elle usait et abusait de son père. Cet après-midi-là plus que jamais. Elle ne lui laissa pas un instant de répit.

La marée était basse, la mer lointaine, hors d'atteinte. Pendant plus d'une heure, il dut aider Marianne à édifier un énorme château fort, plus exactement à travailler sous sa direction, et, comme le vieil Angelo dans son jardin, elle exigeait toujours quelque chose de plus, une douve, un fossé, un pont-levis.

— Maintenant, allons chercher des coquillages pour paver la cour et les chemins de ronde.

— Attention au soleil. Mets ton chapeau.

On lui avait acheté un chapeau de gondolier vénitien dans un bazar.

Gisèle n'osait pas ajouter :

— Ne fatigue pas trop ton père !

Chacun un seau rouge à la main, ils avaient parcouru la plage de bout en bout, le père et la fille, tête basse, attentifs à l'éclat d'un coquillage dans le sable brun, accrochant parfois la jambe d'un baigneur étendu ou évitant de justesse un ballon.

Avait-il le sentiment d'accomplir un devoir, de se faire pardonner une faiblesse, de racheter une faute commise ? En toute sincérité, il aurait été incapable de répondre. Ce qu'il savait, c'est que cette promenade sous le soleil, accompagnée par la voix aigrelette de sa fille, était à la fois douce et mélancolique.

Il était heureux et triste. Pas à cause d'Andrée, ni de Nicolas. Il ne se souvenait pas d'y avoir pensé. Il aurait dit volontiers : heureux et triste comme la vie.

Quand ils firent demi-tour, à hauteur du casino dont la musique leur parvenait, le chemin parut long, le but lointain, surtout à Marianne qui commença à traîner la jambe.

— Tu es fatiguée ?

— Un peu.

— Tu veux que je te porte sur mes épaules ?

Elle avait ri, montrant les vides dans sa denture.

— Je suis trop grande.

Quand elle avait deux ou trois ans, c'était son jeu favori. Le soir, il la montait toujours ainsi dans sa chambre.

— On rirait de toi, ajoutait-elle, tentée.

Il l'avait hissée et, comme elle lui tenait la tête, il avait les deux seaux de plage à la main.

— Je ne pèse pas trop lourd ?

— Non.

— C'est vrai que je suis maigre ?

— Qui te l'a dit ?

— Le petit Roland.

C'était le fils du maréchal-ferrant.

— Il a un an de moins que moi et il pèse vingt-cinq kilos. Moi, je n'en pèse que dix-neuf. On m'a pesée avant de partir, sur la bascule de l'épicerie.

— Les garçons sont plus lourds que les filles.

— Pourquoi ?

Gisèle les regardait venir, songeuse, peut-être un peu émue. Il déposa sa fille sur le sable.

— Aide-moi à placer les coquillages.

— Tu ne crois pas que tu exagères, Marianne ? Ton père est ici pour se reposer. Après-demain, il recommence à travailler.

— C'est lui qui a voulu me porter.

Leurs regards s'étaient rencontrés.

— Pour elle aussi, c'est le dernier jour des vacances, avait-il dit d'un ton léger afin d'excuser sa fille.

Elle n'avait rien ajouté, mais il avait cru lire comme un merci dans son regard.

Merci de quoi ? De s'être consacré, pendant quinze jours, à elles deux ?

A lui, cela paraissait naturel.

4

Il lui arrivait d'attendre dans le couloir, à la porte du cabinet du juge, assis sur un banc, menottes aux poignets, entre ses deux gendarmes qui changeaient presque chaque fois.

Il n'en était plus humilié, ne rageait plus. Il regardait passer les gens, des prévenus, des témoins qui allaient attendre devant d'autres portes, des avocats en robe qui agitaient leurs larges manches comme des ailes, et il ne bronchait pas quand on lui lançait un coup d'œil curieux ou quand on se retournait sur lui.

Une fois dans le cabinet, on lui retirait les menottes, les gardes sortaient sur un signe du magistrat et Diem s'excusait d'être en retard ou d'avoir été retenu, lui tendait son étui à cigarettes en argent. C'était devenu une tradition, un geste automatique.

Le décor était vieillot, d'une propreté douteuse, comme dans les gares et les administrations, les murs verdâtres, la cheminée en marbre noir surmontée d'une pendule noire aussi qui, sans doute depuis des années, marquait midi moins cinq.

Il arrivait que le juge prononçât tout de suite :

— Je crois que je n'aurai pas besoin de vous, monsieur Trinquet.

Le greffier à moustaches brunes s'en allait en emportant du travail qu'il irait faire Dieu sait où et cela signifiait qu'on ne parlerait pas des faits proprement dits.

— Je suppose que vous avez compris pourquoi je vous pose des questions qui paraissent n'avoir aucun rapport avec l'accusation. Je m'efforce de bâtir en quelque sorte les fondations, d'établir votre dossier personnel.

On entendait les bruits de la ville, on apercevait des fenêtres ouvertes de l'autre côté de la rue, des gens qui, chez eux, vaquaient à leurs occupations quotidiennes. Le juge n'empêchait pas Tony de se lever quand il éprouvait le besoin de se détendre, ni de marcher de long en large, d'aller se camper un moment devant le spectacle de la rue.

— J'aimerais, par exemple, que vous me donniez l'emploi d'une de vos journées.

— Vous savez, il varie selon les saisons et les jours de la semaine. Il dépend surtout des foires et des marchés.

Se rendant compte qu'il venait de parler au présent, Tony se reprenait avec une ébauche de sourire :

— Ou plutôt dépendait. Je suivais les foires dans un

rayon d'une trentaine de kilomètres, celles de Virieux, d'Ambasse, de Chiron. Vous voulez que je vous les cite toutes ?

— C'est superflu.

— Ces jours-là, je partais de bonne heure, parfois dès cinq heures du matin.

— Votre femme se levait-elle pour préparer votre petit déjeuner ?

— Elle y tenait. D'autres jours, j'avais rendez-vous dans des fermes, pour une démonstration ou pour réparer une machine. Enfin, je recevais des cultivateurs que j'emmenais dans le hangar.

— Prenons une journée moyenne.

— Gisèle se levait la première, à six heures.

Elle se glissait hors du lit sans bruit, sortait en emportant sa robe de chambre couleur saumon et il l'entendait peu après allumer le feu dans la cuisinière, juste au-dessous de lui. Elle se rendait ensuite dans le jardin pour jeter du grain aux poules et donner à manger aux lapins.

Vers six heures et demie, il descendait, sans avoir fait sa toilette, après un coup de peigne dans ses cheveux drus. La table était mise dans la cuisine, sans nappe, car elle était recouverte de formica. Ils mangeaient en tête à tête tandis que Marianne dormait encore. On la laissait dormir aussi tard qu'elle voulait.

— Sauf quand elle a commencé à fréquenter l'école. Il a bien fallu l'éveiller à sept heures.

— On l'y conduisait ?

— Seulement les deux ou trois premiers jours.

— Vous ?

— Ma femme, qui en profitait pour faire son marché. Autrement, elle descendait au village vers neuf heures, passait chez le boucher ou le charcutier, à l'épicerie...

— L'épicerie Despierre ?

— Il n'y en a pratiquement pas d'autre à Saint-Justin.

Pendant la matinée, surtout, on voyait en permanence, sous le plafond bas du magasin, une demi-douzaine de femmes qui bavardaient en attendant leur tour. Un jour, il avait comparé la boutique à une sacristie, il ne savait plus pourquoi.

— Votre femme ne vous chargeait jamais des commissions ?

— Seulement quand j'allais à Triant ou dans une autre ville, pour des choses qu'on ne trouvait pas au village.

Il devinait que ces questions n'étaient pas aussi innocentes qu'elles le paraissaient, mais il n'en répondait pas moins avec franchise, en s'efforçant d'être précis.

— Vous ne mettiez pas les pieds chez les Despierre ?

— Peut-être une fois tous les deux mois ? Un matin de grand nettoyage, par exemple, ou encore si ma femme avait la grippe.

— Quel était le jour du grand nettoyage ?

— Le samedi.

Comme presque partout. Le lundi était jour de lessive, le mardi ou le mercredi, selon le temps, selon que le linge était sec ou non, celui du repassage. Il en était de même dans la plupart des maisons du village et certains matins les cours et les jardins se pavoisaient de linge épinglé à des cordes.

— A quelle heure receviez-vous votre courrier ?

— On ne le délivrait pas à la maison. Le train passe à Saint-Justin à 8 h 7 du matin et les sacs sont aussitôt portés au bureau de poste. Notre situation à l'extrémité du village nous vaut d'être en bout de tournée du facteur, qui ne se serait arrêté chez nous que vers midi. Je préférais descendre au bureau, où je devais souvent attendre que le tri soit terminé. Autrement, on me gardait mes lettres.

— Nous y reviendrons. Vous y alliez à pied ?

— La plupart du temps. Je ne prenais la voiture que si j'avais à faire en dehors du village.

— Un jour sur deux ? Sur trois ?

— Plutôt un sur deux, sauf en plein hiver car, l'hiver, je me déplaçais moins.

Il aurait fallu expliquer tous les détails de son métier, le rythme des saisons, des cultures. Par exemple, à leur retour des Sables, la saison des foires battait son plein. Les vendanges avaient ensuite commencé, puis les labours d'automne, de sorte qu'il avait été surmené.

Il avait évité, le premier jeudi, de passer rue Neuve

pour voir si Andrée avait mis la serviette à la fenêtre. Il l'avait déjà dit au juge Diem, qui avait insisté :

— Vous aviez décidé de ne plus la revoir ?

— On ne peut pas parler de décision.

— Cela ne tient-il pas à ce que vous aviez de ses nouvelles par une autre voie ?

Cette fois, il avait commis une faute et il s'en était rendu compte dès le moment où il ouvrait la bouche. Trop tard. Les mots, déjà formés, lui sortaient des lèvres.

— Je n'ai pas reçu de nouvelles d'elle.

Ce n'était pas pour lui qu'il mentait. Il n'avait pas conscience de mentir pour Andrée non plus, par une sorte de fidélité, ou d'honnêteté masculine.

Le jour de cet interrogatoire-là, Tony se souvenait qu'il pleuvait et M. Trinquet, le greffier, était à son bout de table.

— Vous êtes rentré des Sables avec votre femme et votre fille le 17 août. Le premier jeudi, contrairement à votre habitude, vous n'êtes pas allé à Triant. Craigniez-vous de rencontrer Andrée Despierre ?

— Peut-être. Mais je ne dirais pas le mot crainte.

— Passons. Le jeudi suivant, vous aviez rendez-vous, à dix heures du matin, avec un nommé Félicien Hurlot, secrétaire d'une coopérative agricole. Cela se passait chez votre frère. Vous y avez déjeuné avec votre client et vous êtes rentré à Saint-Justin sans vous montrer place du Marché. Toujours pour ne pas vous trouver éventuellement nez à nez avec votre maîtresse ?

Il lui était impossible de répondre. A la vérité, il ne savait pas. Il avait vécu des semaines blanches, confuses, sans se poser de questions, surtout sans prendre de décisions.

Ce qu'il pouvait affirmer honnêtement, c'est qu'il sentait Andrée plus loin de lui que les mois précédents et qu'il s'attardait davantage dans sa maison, comme s'il avait besoin du contact des siens.

— Le 4 septembre...

Pendant que le juge parlait, Tony cherchait dans sa mémoire ce que pouvait signifier cette date.

— Le 4 septembre, vous avez reçu la première lettre.

Il avait rougi.

— J'ignore de quelle lettre vous parlez.

— Votre nom et votre adresse, sur l'enveloppe, étaient écrits en caractères bâtonnets. Le timbre portait le cachet de Triant.

— Je ne m'en souviens pas.

Il continuait à mentir, jugeant qu'il était trop tard pour revenir en arrière.

— Le receveur, M. Bouvier, vous a fait une remarque au sujet de cette lettre-là.

Diem, sortant une feuille du dossier, lisait :

— *Je lui ai dit : Cela m'a tout l'air d'une lettre anonyme, Tony. Les gens qui envoient des lettres anonymes écrivent comme ça.*

» Cela ne vous rappelle toujours rien ?

Il secouait la tête, honteux de mentir, car il mentait mal, rougissait, regardait fixement un point de l'espace pour qu'on ne lise pas son trouble dans ses yeux.

La lettre, qui ne portait pas de signature, n'en était pas anonyme pour autant. Le texte, très court, était écrit aussi en caractères bâtonnets.

Tout va bien. N'aie pas peur.

— Voyez-vous, monsieur Falcone, je suis convaincu que la personne qui vous a écrit et qui est allée poster sa lettre à Triant ne déguisait pas son écriture par crainte que vous la reconnaissiez mais par crainte que le receveur l'identifie. Il s'agirait donc de quelqu'un de Saint-Justin, de quelqu'un dont l'écriture normale est familière à M. Bouvier. La semaine suivante, une seconde enveloppe, toute pareille, est arrivée à votre adresse.

» — *Tiens ! Tiens !* vous a dit en plaisantant le receveur. *Je me suis peut-être trompé. Il pourrait bien y avoir là-dessous une histoire d'amour.*

Le texte n'était pas plus long que celui du premier message.

Je n'oublie pas. Je t'aime.

Il en avait été si impressionné qu'il n'avait plus osé passer rue Neuve et qu'il faisait un détour pour se rendre à la gare où il recevait assez souvent des pièces détachées par grande vitesse.

Il avait vécu plusieurs semaines, oppressé, tantôt courant les marchés et les fermes, tantôt chez lui, en salopette, à s'occuper dans le hangar.

Plus fréquemment que par le passé, il traversait le champ qui le séparait de la maison, trouvant Gisèle occupée à éplucher des légumes, à savonner le carrelage de la cuisine ou, là-haut, à faire les chambres. Marianne à l'école, la maison semblait plus vide. A quatre heures, quand elle rentrait, il éprouvait le besoin de venir les voir dans la cuisine où elles goûtaient face à face, chacune avec son pot de confiture devant elle.

De cela aussi, on reparlerait plus tard, et pas une seule fois. Marianne n'aimait que la confiture de fraises, tandis que sa mère, à qui les fraises, mêmes cuites, donnaient de l'urticaire, préférait la compote de prunes.

Au début de leur mariage, les goûts de Gisèle l'avaient amusé et il l'avait taquinée à ce sujet.

A cause de ses cheveux blonds, de son teint pâle, de son visage allongé, les gens lui trouvaient volontiers quelque chose d'angélique.

Or, elle n'était attirée que par les nourritures fortes, les harengs saurs, les salades très vinaigrées et relevées d'ail, les fromages fermentés. Il n'était pas rare, lorsqu'elle travaillait au potager, de la voir croquer un gros oignon cru. Par contre, elle ne touchait pas à un bonbon et elle ne prenait jamais de dessert. C'était lui qui était friand de pâtisserie.

On trouvait, dans leur ménage, d'autres anomalies. Ses parents, en bons Italiens, les avaient élevés, son frère et lui, dans la religion catholique et ses souvenirs d'enfance étaient pleins de rumeurs d'orgues, de sorties de messe, le dimanche matin, de femmes et de jeunes filles en robe de soie qui n'usaient de poudre de riz et de parfum que ce jour-là.

Il connaissait toutes les maisons, toutes les pierres du bourg, se rappelait encore, en rentrant de l'école, avoir renoué son lacet de soulier en posant le pied sur telle borne, mais c'était l'église qui tenait la plus grande place, avec ses trois vitraux coloriés, derrière le chœur où brûlaient les cierges. Les autres vitraux étaient blancs. Ces trois-là portaient le nom des donateurs et, sur celui de droite, figurait le nom de Despierre, un grand-père ou un arrière-grand-père de Nicolas.

Il continuait à aller à la messe du dimanche avec Marianne et sa femme restait à la maison. Elle n'était pas baptisée. Son père faisait profession d'athéisme et, de sa vie, il n'avait lu que quatre ou cinq romans de Zola.

— Je ne suis qu'un ouvrier, mais je te dis, Tony, que *Germinal*, vois-tu...

Ils vivaient à rebours des autres familles, dont les hommes accompagnaient leur femme jusqu'à la porte de l'église et allaient vider des chopines au plus proche café en attendant la fin de la messe.

— Oseriez-vous affirmer, monsieur Falcone, que, pendant le mois d'octobre en particulier, vous ne vous attendiez pas à un événement ?

A rien de précis. C'était plutôt un malaise comme ceux qui précèdent une maladie. Le mois d'octobre avait été très pluvieux. Tony portait du matin au soir ses hautes bottes à lacets et ses culottes d'équitation qui constituaient, avec la canadienne brune, sa tenue d'hiver.

L'école excitait Marianne, qui en parlait tout au long des repas.

— Vous n'avez gardé aucun souvenir de la troisième lettre non plus ? M. Bouvier a meilleure mémoire que vous. Selon lui, vous l'avez reçue un vendredi, comme les précédentes, aux alentours du 20 octobre.

C'était la plus brève et la plus inquiétante.

Bientôt ! Je t'aime.

— Je suppose que vous avez brûlé ces billets ainsi que ceux qui les ont suivis ?

Non. Il les avait déchirés en petits morceaux qu'il avait jetés dans l'Orneau. Grossies par les pluies, les eaux brunâtres charriaient des branches d'arbres, des animaux crevés, toutes sortes de détritus.

— Si j'en crois mon expérience, vous ne tarderez pas à changer de tactique. Sur tous les autres points, vous semblez avoir répondu avec franchise. Je serais surpris que votre avocat ne vous conseille pas de prendre la même attitude en ce qui concerne ces lettres, ce qui vous permettrait de me dire quel était votre état d'esprit à la fin d'octobre.

C'était impossible. Son état d'esprit variait selon l'heure. Il s'efforçait de ne pas penser et il sentait que Gisèle l'observait avec curiosité, peut-être avec inquiétude. Elle ne lui demandait plus :

— A quoi penses-tu ?

Elle disait, sans entrain :

— Tu n'as pas faim ?

Il manquait d'appétit. Il était allé trois fois, au lever du jour, cueillir des champignons dans le pré qui les séparait de la forge, tout en haut, près du grand cerisier. Il avait vendu plusieurs tracteurs, dont deux à la coopérative agricole de Virieux, qui les louait à de petits fermiers et qui lui avait commandé, aux mêmes fins, une moissonneuse-lieuse pour l'été suivant.

C'était une bonne année et il serait en mesure de payer une tranche importante de ce qu'il devait sur la maison.

— Nous en arrivons au 31 octobre. Qu'avez-vous fait ce jour-là ?

— Je suis allé voir un client à Vermoise, à trente-deux kilomètres, et j'ai travaillé une partie de la journée sur un tracteur défectueux. Je n'arrivais pas à trouver ce qui clochait et j'ai déjeuné à la ferme.

— Vous êtes revenu par Triant ? Vous êtes passé chez votre frère ?

— C'était mon chemin et j'ai l'habitude d'aller bavarder un moment avec Vincent et Lucia.

— Vous ne leur avez pas fait part de vos appréhensions ? Ni d'un changement possible, sinon probable, dans votre existence ?

— Quel changement ?

— Nous y reviendrons plus tard. Vous êtes rentré chez vous et vous avez dîné. Après quoi vous avez regardé la télévision, installée deux semaines auparavant. C'est ce que vous avez affirmé à l'inspecteur de la police judiciaire dont j'ai le rapport sous les yeux. Vous êtes monté vous coucher en même temps que votre femme ?

— Certainement.

— Vous n'étiez pas au courant de ce qui se passait, cette nuit-là, à moins d'un demi-kilomètre de chez vous ?

— Comment l'aurais-je été ?

— Vous oubliez les lettres, Falcone. Vous les niez, c'est vrai, mais moi, j'en tiens compte. Le lendemain, jour de Toussaint, vous êtes descendu vers l'église, à dix heures environ, en tenant votre fille par la main.

— C'est exact.

— Vous êtes donc passé en face de l'épicerie.

— Les volets étaient fermés, comme ils le sont les dimanches et les jours fériés.

— Ceux du premier étage étaient fermés aussi ?

— Je n'ai pas levé la tête.

— Votre indifférence signifie-t-elle que vous considériez vos relations avec Andrée Despierre comme terminées ?

— Je crois.

— Ou bien, si vous n'avez pas levé les yeux, n'est-ce pas parce que vous saviez déjà ?

— Je ne savais pas.

— Plusieurs personnes étaient groupées sur le trottoir devant le magasin.

— Des gens se rassemblent chaque dimanche sur la place avant et après la grand-messe.

— Quand avez-vous appris la mort de Nicolas ?

— Au début du sermon. Dès qu'il est monté en chaire, l'abbé Louvette a invité les fidèles à prier avec lui pour le repos de l'âme de Nicolas Despierre, décédé au cours de la nuit, à l'âge de trente-trois ans.

— Quel effet cela vous a-t-il produit ?

— J'ai été très frappé.

— Vous êtes-vous rendu compte qu'après les paroles du prêtre plusieurs personnes se sont tournées vers vous ?

— Non.

— J'ai ici le témoignage du ferblantier, Pirou, qui est aussi garde champêtre assermenté et qui l'affirme.

— C'est possible. Je ne vois pas comment les habitants de Saint-Justin auraient pu être au courant.

— Au courant de quoi ?

— De mes relations avec Andrée.

— En sortant de l'église, vous ne vous êtes pas attardé et vous avez évité de vous rendre sur la tombe de votre mère.

— Nous avions convenu, ma femme et moi, que nous irions l'après-midi au cimetière.

— En chemin, Didier, le maréchal-ferrant, votre plus proche voisin, vous a rejoint et a fait un bout de route avec vous. Il vous a dit :

» — *Sûrement que ça devait arriver un jour ou l'autre, mais je ne m'attendais pas à ce que ce soit si tôt. Il va y avoir une heureuse !*

— Il l'a peut-être dit. Je ne m'en souviens pas.

— Peut-être étiez-vous trop ému pour l'entendre ?

Que dire ? Oui ? Non ? Il n'y avait pas de mots. Il était assommé. Il se rappelait seulement la petite main gantée de laine de Marianne au creux de la sienne et la pluie qui recommençait à tomber.

Le téléphone sonnait sur le bureau du juge et l'interrogatoire était interrompu par un long entretien où il était question d'un nommé Martin, d'une bijouterie et d'un témoin qui s'obstinait à ne pas dire ce qu'il savait.

Pour autant qu'il pouvait comprendre, Tony supposait que le procureur de la République était à l'autre bout du fil, un homme aux airs importants qu'il n'avait vu que pendant une demi-heure et qui lui faisait peur.

Diem, lui, ne lui faisait pas peur. C'était un sentiment très différent. Il lui semblait qu'un rien aurait suffi pour qu'ils se comprennent, et même qu'ils deviennent amis, mais ce rien ne se produisait pas.

— Excusez-moi, monsieur Falcone, murmurait-il en raccrochant.

— De rien.

— Où en étions-nous ? Ah ! oui, à votre retour de la grand-messe. Je suppose que vous avez annoncé la nouvelle à votre femme ?

— Ma fille l'a fait. Dès le seuil, elle m'a lâché la main et s'est précipitée dans la cuisine.

La maison avait son odeur du dimanche, celle du rôti que Gisèle, accroupie devant le four ouvert, était occupée à arroser de jus. Ils mangeaient du rôti de bœuf chaque dimanche, clouté de girofle, garni de petits pois et de purée de pommes de terre. Le mardi, c'était le pot-au-feu.

Il ne se rendait pas compte, à l'époque, de ce que ces traditions avaient de rassurant.

— Vous rappelez-vous les paroles de votre fille ?

— Elle a lancé avec animation :

» — Maman ! Une grande nouvelle ! Nicolas est mort !

— Quelle a été la réaction de votre femme ?

— Elle s'est tournée vers moi en demandant :

» — C'est vrai, Tony ?

Il mentait à nouveau, par omission, et son regard évitait celui du juge. A la vérité, Gisèle était devenue pâle et avait failli laisser tomber la cuiller de bois. Il n'était pas moins troublé qu'elle. Un bon moment plus tard, seulement, elle avait murmuré à mi-voix, sans s'adresser à personne en particulier :

— C'est encore lui qui m'a servie hier matin...

Cette phrase, il pouvait la répéter au juge. Bien qu'il

n'y eût rien de vraiment dangereux dans ce qui avait suivi, il préférait ne pas le mentionner devant le magistrat. Marianne avait fourni un intermède.

— J'irai à l'enterrement ?

— Les enfants n'assistent pas aux enterrements.

— Josette l'a fait.

— Parce qu'il s'agissait de son grand-père.

Elle était allée jouer dans la pièce voisine et c'est alors que Gisèle, sans regarder son mari, avait prononcé :

— Que va faire Andrée ?

— Je n'en sais rien.

— Tu ne dois pas présenter tes condoléances ?

— Pas aujourd'hui. Il sera temps le matin de l'enterrement.

— Cela a dû se passer hier soir ou cette nuit ?

De toute la journée, elle n'avait pas été la même.

— Et les jours suivants ? insistait le petit juge.

— J'ai été presque tout le temps absent de la maison.

— Vous n'avez pas essayé de savoir dans quelles circonstances Nicolas était mort ?

— Je n'ai pas mis les pieds au village.

— Pas même pour prendre votre courrier ?

— Je suis allé à la poste, pas plus loin.

Diem consultait son dossier.

— Je vois que, si l'épicerie a été fermée le jour de la Toussaint, elle a ouvert ses portes le matin du jour des Morts.

— C'est l'habitude au village.

— Qui se trouvait derrière le comptoir ?

— Je l'ignore.

— Votre femme n'a pas effectué d'achats chez Despierre ce jour-là ?

— Je ne m'en souviens pas. Probablement que si.

— Mais elle ne vous a parlé de rien ?

— Non.

Ce qu'il savait, c'est qu'il pleuvait et que le vent secouait les arbres, que Marianne était difficile comme chaque fois que le mauvais temps l'empêchait de jouer dehors.

— Je vais vous apprendre ce qui s'est passé à l'épicerie. Depuis plusieurs jours, Nicolas Despierre était nerveux, taciturne, ce qui, en général, annonçait une crise.

» Pendant ces périodes-là, il prenait chaque soir, sur ordre du docteur Riquet, qui nous l'a confirmé, un cachet de bromure.

» Le 31 octobre, sa mère est venue le voir vers huit heures du soir, après son dîner, alors qu'Andrée faisait la vaisselle, et elle s'est plainte de commencer la grippe.

Cette histoire était familière à Tony, qui en avait entendu parler.

— Savez-vous, monsieur Falcone, que ce soir-là, par exception, le docteur Riquet était absent de Saint-Justin jusqu'au lendemain dans la matinée parce qu'il s'était rendu à Niort pour voir une sœur malade ?

— Je l'ignorais.

— Je suppose qu'il soignait votre famille aussi. Vous savez donc qu'il ne s'absentait pratiquement jamais et qu'il ne prenait pas toujours de vacances. La veille, en fin de matinée, il était venu à l'épicerie pour voir Nicolas et annoncer ce déplacement.

Avec sa barbe en broussaille, le docteur avait l'air d'un chien barbet et il ne dédaignait pas faire sa partie de cartes en vidant des chopines au Café de la Gare.

— Ajoutez à son absence la grippe de Mme Despierre. Voyez-vous où je veux en venir ? A trois heures du matin, votre amie Andrée a téléphoné chez le médecin comme si elle ignorait son absence. Elle n'a eu que la servante au bout du fil, car Mme Riquet accompagnait son mari.

» Au lieu d'appeler un médecin de Triant, elle est allée, en robe de chambre, éveiller sa belle-mère de l'autre côté du jardin et, quand les deux femmes sont entrées dans la chambre, Nicolas était mort.

Il écoutait, gêné, ne sachant quelle attitude prendre.

— Mme Despierre, puisqu'il était de toute façon trop tard, n'a pas jugé utile de faire venir un médecin étranger au village et ce n'est que le lendemain matin à onze heures que le docteur Riquet est arrivé au chevet de Nicolas.

» Etant donné les antécédents, il l'a à peine examiné avant de signer le permis d'inhumer. Par la suite, il a exposé les raisons médicales pour lesquelles quatre-vingt-dix pour cent de ses confrères auraient agi comme lui à sa place.

» Cela n'a pas empêché que, dès le lendemain, des rumeurs courent le village. Vous n'en avez rien su ?

— Non.

Il était sincère, cette fois. Beaucoup plus tard, seulement, il avait appris avec stupeur qu'à cette époque, déjà, à Saint-Justin, on associait son nom à celui d'Andrée.

— Vous connaissez la campagne mieux que moi, monsieur Falcone. Vous ne devez donc pas vous étonner si ces bruits arrivent rarement aux oreilles des intéressés, presque jamais à celles de la police ou de l'administration.

» Il a fallu des mois et de nouveaux événements pour que les langues se délient. Même alors, l'inspecteur Mani et moi avons eu beaucoup de peine à obtenir des dépositions sincères.

» Nous y sommes arrivés à force de patience et j'ai ici un épais dossier qui a été communiqué à votre avocat. Maître Demarié a dû vous en parler.

Il faisait oui de la tête. En réalité, il ne comprenait pas encore. Pendant onze mois, Andrée et lui avaient pris toutes les précautions imaginables pour que nul ne soupçonne leurs relations.

Non seulement Tony évitait dans la mesure du possible de mettre les pieds à l'épicerie, mais lorsqu'il y était obligé, il s'adressait à Nicolas plutôt qu'à sa femme. S'il la croisait dans la foule, au marché de Triant, il se contentait de la saluer d'un geste vague.

Sauf la rencontre de septembre, au bord de la route, ils ne s'étaient retrouvés que dans la chambre bleue et ils y arrivaient séparément, chacun par une porte différente, chacun laissant sa voiture à bonne distance de l'hôtel.

Ni son frère ni sa belle-sœur n'avaient parlé, il en avait la conviction. Il n'avait pas moins confiance dans la discrétion de Françoise.

— On vous associait si bien l'un à l'autre qu'à l'enterrement tout le monde vous observait et qu'on regardait votre femme avec pitié.

Il l'avait senti et en avait été effrayé.

— Il est difficile de savoir comment ces bruits prennent naissance mais, dès qu'ils ont commencé à courir, rien ne peut les arrêter. On a d'abord murmuré que la mort de Nicolas venait à point et que sa femme devait se sentir soulagée.

» Puis quelqu'un a noté l'absence du médecin cette nuit-là, absence providentielle pour une personne désirant se débarrasser de l'épicier et faire croire qu'il avait succombé à une de ses crises.

» Appelé plus tôt, quand Nicolas était encore en vie, le docteur Riquet aurait sans doute fait un autre diagnostic.

Tout cela était vrai. Il n'avait rien à répliquer.

— On a fort remarqué aussi qu'aux obsèques vous vous teniez au dernier rang, comme pour mettre la plus grande distance possible entre votre maîtresse et vous, et votre comportement a été considéré par d'aucuns comme une ruse.

Il s'essuyait le visage de son mouchoir, car il était en sueur. Il avait vécu des mois sans se douter qu'il était épié et que chacun savait, à Saint-Justin, qu'il était l'amant d'Andrée, que chacun se demandait ce qui allait arriver.

— En toute sincérité, Falcone, croyez-vous que votre femme était moins bien informée que les autres et que, comme les autres, elle ne s'attendait pas à quelque chose ?

Il secoua la tête, sans énergie, car il n'était plus sûr de lui.

— A supposer qu'elle ait connu vos rapports avec Andrée, vous en aurait-elle parlé ?

— Peut-être que non.

Certainement pas. Ce n'était pas dans son caractère. La preuve, c'est qu'elle n'avait jamais fait allusion à d'autres aventures qu'elle n'avait pas ignorées.

Il n'aurait accepté de revivre cet hiver-là pour rien au monde, et pourtant il n'avait jamais eu autant la sensation d'appartenir aux siens, la sensation qu'ils étaient trois, qu'ils formaient un tout, une sensation d'intimité presque animale, comme s'il avait été blotti au fond d'un terrier avec sa femelle et son petit.

L'atmosphère de la maison, aux couleurs qu'ils avaient choisies si gaies, était devenue sourde, oppressante. Quand ses affaires l'exigeaient, il ne s'en arrachait qu'à contrecœur, conscient d'un danger, d'un événement qui pourrait se produire en son absence.

— Vous n'avez pas revu votre maîtresse de tout l'hiver, monsieur Falcone ?

— Je l'ai peut-être aperçue de loin. Je jure que je ne lui ai pas adressé une seule fois la parole.

— Vous n'êtes pas allé la retrouver chez votre frère ?

— A plus forte raison.

— N'a-t-elle pas, à plusieurs reprises, fait le signal ?

— Je ne l'ai aperçu qu'une fois. Le jeudi, en particulier, j'évitais la rue Neuve.

— Cela vous est donc arrivé d'y passer un jeudi. A quelle époque ?

— Au début de décembre. Je me rendais à la gare et j'ai pris au plus court. Cela m'a surpris de voir la serviette à la fenêtre et je me suis demandé si c'était intentionnel.

— Vous n'êtes pas allé à Triant ce jour-là ?

— Non.

— Vous avez vu passer la 2 CV ?

— Pas à l'aller. A son retour. J'étais dans mon bureau quand j'ai entendu deux ou trois coups de klaxon qu'Andrée semblait me lancer en passant.

— Votre frère vous a parlé de sa visite ?

— Oui.

— Il vous a appris qu'elle était montée directement dans la chambre bleue, que, selon Françoise, elle s'y était dévêtue et qu'elle vous avait attendu, sur le lit, plus d'une demi-heure ?

— Oui.

— De quel message a-t-elle chargé Françoise ?

— De me dire qu'il était indispensable que nous ayons un entretien.

— Françoise vous a décrit l'état dans lequel elle se trouvait après cette demi-heure d'attente ?

— Elle m'a avoué qu'Andrée lui avait fait peur.

— Pourquoi ?

— Elle n'a pas pu me l'expliquer.

— Vous avez eu une conversation à ce sujet avec votre frère ?

— Oui. Il m'a conseillé de laisser tomber. Ce sont les mots qu'il a employés. Je lui ai répondu que c'était fait depuis longtemps. Il a riposté :

» — C'est peut-être fini pour toi. Pas pour elle !

Les pluies avaient duré jusqu'à la mi-décembre, noyant les prés bas, suivies par un assez grand froid puis, le 20 ou le 21, par de la neige. Marianne ne se tenait pas de joie et, chaque matin, se précipitait à la fenêtre pour s'assurer que la neige n'avait pas fondu.

— J'aimerais tant qu'elle tienne jusqu'à Noël !

Elle n'avait pas encore eu la chance d'un Noël blanc. Les années précédentes, il pleuvait ou gelait.

Maintenant qu'elle était grande, comme elle disait fièrement depuis qu'elle allait à l'école, elle avait aidé son père à garnir le sapin et c'était elle qui avait placé les bergers et les moutons de plâtre autour de la crèche.

— Vous prétendez avoir tout ignoré de ce qui se passait chez les Despierre ?

— Je savais, par ma femme, que la mère avait repris sa place au magasin, mais que les deux femmes ne se parlaient toujours pas.

— N'a-t-il pas été question d'un procès ?

— J'ai entendu une conversation à ce sujet dans un café.

Son métier l'obligeait à passer un certain temps dans les petits cafés de village, la plupart du temps mal éclairés, où les hommes restent des heures immobiles devant des chopines en discutant à voix de plus en plus forte. On comptait six cafés à Saint-Justin, trois d'entre eux, il est vrai, n'étant fréquentés que les jours de foire.

— Vous vous attendiez, vous aussi, à ce qu'elles aillent devant les tribunaux ?

— Je vous affirme, monsieur le juge, que je ne m'en occupais pas.

— Vous n'en étiez pas moins au courant de la situation ?

— Comme tout le monde. On prétendait que la vieille Despierre, si maligne qu'elle fût, avait fait un mauvais marché et qu'Andrée, en fin de compte, tenait le bon bout.

— Vous ignoriez si c'était exact ?

— Comment l'aurais-je su ?

— Votre maîtresse, au cours de vos onze mois de relations, ne vous a pas confié qu'elle était mariée sous le régime de la communauté des biens ?

— Il n'était jamais question, entre nous, de son mariage.

Ils avaient si peu parlé, en vérité, et ils auraient été mieux inspirés de se taire complètement. La preuve, c'est que le juge Diem en revenait une fois de plus au dernier jeudi de la chambre bleue.

— Vous avez pourtant évoqué votre avenir à tous les deux.

— C'étaient des phrases sans suite, que nous ne prononcions pas sérieusement.

— Andrée non plus ? Vous en êtes certain ? Permettez-moi de vous rappeler que, deux mois avant la mort de son mari, elle envisageait cet événement.

Il allait protester, mais Diem continuait :

— Peut-être pas en termes précis. Elle n'en faisait pas moins allusion à sa disparition lorsqu'elle s'enquérait de votre attitude quand elle serait libre.

Il aurait tout donné, un bras, une jambe, un œil pour que certains mots n'eussent jamais été prononcés. Il avait honte de les avoir écoutés sans révolte, haïssait le Tony debout devant la glace, étanchant le sang de sa lèvre, fier d'être nu dans un rayon de soleil, d'être un beau mâle qu'on admirait, fier de voir son sperme s'écouler de la vulve d'une femelle.

— *Tu aimerais vivre toujours avec moi ?*

Un peu plus tard :

— *Tu saignes encore ?*

Elle se félicitait, elle, de l'avoir mordu, de l'obliger à rentrer chez lui en montrant à sa femme et à sa fille la trace de leurs ébats !

— *Que diras-tu si elle te questionne ?*

Elle, c'était Gisèle, et il en parlait légèrement, comme si elle n'avait pas d'importance.

— *Je lui dirai que je me suis cogné à mon pare-brise, par exemple, en freinant trop brusquement.*

Il sentait si bien que cette phrase-là constituait une trahison que, quand Marianne, et non Gisèle, lui avait parlé de l'enflure à sa lèvre, il avait changé d'explication et avait remplacé le pare-brise par un poteau.

— *Tu aimerais passer toute ta vie avec moi ?*

Que serait-il arrivé si le train n'avait pas sifflé, comme pour lui lancer un avertissement, alors qu'elle prononçait de sa voix de gorge :

— *Dis-moi, Tony. Si je devenais libre...*

Il en arrivait à détester les mots !

— *Tu te rendrais libre aussi ?*

Pouvait-il avouer au juge qu'il avait entendu ces phrases-là bourdonner à ses oreilles tout l'hiver, qu'elles lui revenaient à table, dans la cuisine aux vitres embuées, qu'il les avait même récitées à part lui au moment où sa fille découvrait les jouets au pied de l'arbre de Noël ?

— L'épicerie de la rue Neuve, continuait implacablement Diem, les maisons, les fermes, le hameau de La Guipotte appartiennent aujourd'hui aux deux femmes et Andrée Despierre a le droit d'exiger que l'ensemble des biens passe en vente publique afin de recueillir sa part de la succession.

Il laissait planer un long silence.

— Il en a été beaucoup question à Saint-Justin, n'est-ce pas ?

— Je crois. Oui.

— N'a-t-on pas prétendu que la vieille Despierre n'accepterait pas de voir une partie de son bien tomber dans des mains étrangères ? N'est-ce pas la raison de son retour au magasin, aux côtés d'une belle-fille qu'elle déteste et à qui elle n'adresse pas la parole ? La décision dépendait d'Andrée. La décision d'Andrée dépendait de la vôtre...

Il ne pouvait s'empêcher de sursauter, d'ouvrir la bouche pour s'inscrire en faux.

— Je répète ce qui se chuchotait de bouche à oreille. Voilà pourquoi on vous observait, en se demandant quel parti vous alliez prendre. La vieille Despierre appartient au village, fait corps avec lui, même si on lui reproche son avarice et sa dureté.

» Par contre, on n'a jamais aimé les grands airs d'Andrée et on ne la tolérait qu'à cause du souvenir laissé par son père.

» Quant à vous, non seulement vous êtes d'origine étrangère, mais vous avez abandonné le pays pendant dix ans et on s'est demandé la raison de votre retour.

— Où voulez-vous en venir ?

— A rien de précis. Les paris étaient ouverts. Beaucoup s'attendaient à ce qu'Andrée fasse vendre malgré tout, avec l'aide des tribunaux au besoin, et qu'une fois en possession du magot elle quitte Saint-Justin en votre compagnie.

» La personne qu'on plaignait le plus, c'était votre femme, malgré ses rapports assez vagues avec les gens du bourg. Savez-vous comment certains l'appelaient ? *La petite dame si douce qui se donne tant de mal.*

Diem souriait en posant un index sur un des dossiers.

— Tout ce que je vous répète aujourd'hui se trouve ici, noir sur blanc. Ils ont fini par parler. Votre avocat, je le répète, possède un double du dossier. Il aurait pu assister à ces interrogatoires. C'est lui, avec votre accord, qui a préféré vous laisser livré à vous-même.

— Je le lui ai demandé.

— Je sais. Encore que je ne comprenne pas pourquoi.

A quoi bon expliquer que, quand il allait se confesser, la présence du prêtre derrière le grillage ne le gênait pas, mais qu'une tierce personne l'aurait rendu muet. Diem, malgré son feint étonnement, le savait si bien qu'au moment d'aborder un point délicat, un sujet intime, il prenait soin de donner congé à son greffier.

— Et maintenant, monsieur Falcone, si nous en venions aux deux dernières lettres, celle de fin décembre et celle du 20 janvier ?

5

Son avocat aussi s'obstinait à lui parler des lettres.

— Pourquoi n'avouez-vous pas la vérité sur ce point comme sur les autres ? Il y a une certitude que vous avez reçu ces lettres. Il est inimaginable que le receveur de Saint-Justin les ait inventées.

Il répétait, comme un gamin qui a menti et qui, par orgueil, s'en tient à son mensonge :

— J'ignore de quoi il s'agit.

Chez lui, ce n'était pas de l'orgueil, mais peut-être un reste de fidélité à la chambre bleue. Il n'avait jamais eu l'intention d'épouser Andrée. Même s'ils avaient été libres tous les deux, s'ils n'avaient été mariés ni l'un ni l'autre, l'idée ne lui serait pas venue d'en faire sa femme.

Pourquoi ? Il n'en savait rien.

— Avouez que sa passion vous effrayait, avait suggéré le professeur Bigot. Cela a dû vous causer un choc, le soir de septembre, en bordure du petit bois, quand vous avez découvert que celle que vous appeliez la statue, calme et orgueilleuse, pouvait se transformer en femelle déchaînée.

— J'en ai été surpris.

— Flatté aussi, vraisemblablement. Car il semble ressortir des événements qu'elle était sincère en prétendant vous aimer depuis les bancs de l'école.

— Je me suis senti un peu responsable.

— Responsable de cette passion ?

— Ce n'est pas le mot. Il m'a semblé que je lui devais quelque chose. Je m'excuse de la comparaison, qui n'est pas exacte. Quand un chat perdu s'attache à vos pas en poussant des miaulements suppliants et qu'ensuite il ne quitte plus votre seuil, vous vous sentez responsable de ce qui pourrait lui arriver.

Bigot paraissait comprendre. Cet entretien avait eu lieu la deuxième ou la troisième semaine que Tony passait en prison. La première fois qu'on l'en avait sorti pour le conduire au Palais de Justice, on avait pris des précautions exceptionnelles, à cause des journalistes, des photographes et des curieux qui s'étaient massés sur le grand escalier.

Au moment où il s'apprêtait à monter dans le panier à salade, le directeur s'était précipité, alerté par un coup de téléphone du Parquet, et on l'avait reconduit dans sa cellule pour près d'une heure.

Quand on l'avait emmené à nouveau, ce n'étaient plus des gendarmes qui l'encadraient, mais l'inspecteur Mani et un autre policier en civil. La voiture cellulaire n'était plus dans la cour de la prison car, pour tromper la foule, on l'avait envoyée en avant avec deux prévenus quelconques.

Il s'installait, lui, dans une voiture ordinaire, sans marque distinctive, qui s'arrêtait derrière le Palais, près d'une petite porte.

Pendant deux semaines, on avait joué le même jeu. La population, excitée par la presse, était montée contre lui et menaçait de lui faire un mauvais parti.

Maintenant que deux mois étaient écoulés, la plupart des reporters de Paris et des grandes villes avaient quitté Poitiers, laissant le soin de suivre l'affaire aux correspondants locaux et aux représentants des agences.

Il lui était arrivé de voir, dans les magazines et les actualités cinématographiques, des accusés, protégés par la force publique, fonçant à travers la foule vers la porte d'un Palais de Justice ou d'une prison en s'efforçant de se cacher le visage.

Il tenait ce rôle, à présent, sauf qu'il ne se voilait pas la face. Avait-il, comme les autres, le regard de quelqu'un qui n'appartient déjà plus à la société humaine et qui se demande pourquoi ?

Il conservait son sang-froid. Chez le juge d'instruction, il n'était pas un homme traqué. Il répondait de son mieux, en bon élève, mettant sa coquetterie à se montrer sincère et précis, sauf quand il était question des lettres. Il était convaincu que, s'il cédait sur ce point, il serait entraîné dans un engrenage sans fin.

Il avait reçu la lettre de décembre la veille du Nouvel

An, alors que la neige gelée craquait sous les pas. On commençait à lancer aux gens qu'on rencontrait :

— Bonne année !

— Je te la souhaite heureuse !

Le ciel était clair, l'air sec et vif. Des gamins avaient aménagé une glissoire au milieu de la rue Neuve et s'élançaient tour à tour. Le receveur ne lui avait adressé aucune remarque en lui tendant son courrier, que Tony avait l'habitude de parcourir dans un coin du bureau de poste.

Bonne notre année.

Le choc dans la poitrine, le spasme avaient été plus violents que les autres fois. Il flairait dans ce message une menace mystérieuse. Les mots avaient été choisis à dessein, c'était évident, et il s'efforçait de les traduire. Le *notre* ne révélait-il pas le fond de la pensée d'Andrée ?

Ce billet de fin d'année, il l'avait brûlé, car il n'y avait presque plus d'eau dans l'Orneau, dont les bords se couvraient d'une pellicule de glace.

Le lendemain matin, ils étaient allés tous les trois présenter leurs vœux au vieil Angelo. Son père n'avait pour ainsi dire pas parlé, évitant de regarder Marianne, Tony croyait savoir pourquoi. Ne lui rappelait-elle pas à la fois sa fille et sa femme mortes ?

L'après-midi, ils s'étaient rendus, comme les autres années, chez son frère, qui était obligé de garder l'hôtel et le café ouverts.

Tôt matin, dans la cuisine, où il avait trouvé sa femme seule, il l'avait serrée contre lui, tenant un bon moment sa tête contre son épaule.

— Bonne année, Gisèle.

Avait-elle senti qu'il y mettait plus de ferveur que les autres fois ? Avait-elle compris qu'il était inquiet et n'osait pas croire à une année heureuse ?

— Bonne année, Tony.

Elle l'avait regardé ensuite en souriant mais, comme elle n'allait jamais jusqu'au bout d'un sourire, il en avait été plus mélancolique que joyeux.

Depuis que Marianne allait à l'école, ils prenaient leurs repas de midi en tête à tête, sa femme et lui. Beaucoup d'enfants venaient de fermes distantes de plusieurs kilomètres et n'auraient pas eu le temps de rentrer chez eux pour déjeuner. L'instituteur avait organisé une cantine et Marianne, que l'école passionnait, avait supplié ses parents pour qu'ils l'y laissent manger.

— Cela lui passera. Je suis persuadée que, l'an prochain, elle changera d'avis.

Il n'était pas toujours facile à Tony de rester assis en face de Gisèle sans rien lui laisser voir de ses préoccupations. De quoi parlaient-ils ? L'un et l'autre craignaient le silence et ils engageaient la conversation sur n'importe quel sujet, prononçant, du bout des lèvres, des phrases sans importance et sursautant quand ils étaient soudain surpris par le vide.

La dernière lettre avait encore aggravé les choses.

C'était presque un ordre qu'Andrée lui donnait, en même temps qu'un rappel de ce qu'elle considérait comme une promesse. Le texte ne comportait que deux mots, tracés en grands caractères qui couvraient la largeur de la page.

A toi !

Il avait ouvert l'enveloppe, comme toujours, dans le bureau de poste, sur le pupitre où se trouvaient l'encre violette, une plume cassée, des formules de télégrammes et de mandats. Il n'aurait pas pu dire par la suite comment il s'était comporté, mal, sans doute, puisque M. Bouvier, derrière son guichet, lui avait demandé avec sollicitude :

— Mauvaises nouvelles, Tony ?

Et le receveur devait déclarer à l'instruction :

— Je ne l'avais pas encore vu comme ça. On aurait dit un homme qui vient de recevoir sa condamnation à mort. Il m'a regardé sans répondre et je ne suis pas sûr qu'il me voyait, puis il s'est précipité dehors en laissant la porte ouverte.

Heureusement qu'il avait sa voiture, ce jour-là, car il devait visiter des fermes. Il avait roulé droit devant lui, l'œil dur, sans se préoccuper des clients qui l'attendaient. Il allait n'importe où, essayant désespérément d'interpréter les deux mots d'une façon rassurante, tout en se rendant compte qu'il se leurrait.

Andrée avait bel et bien voulu dire :

— A ton tour !

— *Quand je pense au nombre d'années que j'ai perdues par ta faute.*

Elle n'était plus disposée à en perdre. Maintenant qu'elle avait pris possession de lui, elle allait enfin réaliser son rêve d'enfant, de jeune fille, de femme.

Etait-ce croyable qu'elle ait attendu Tony si longtemps sans que rien ne parvienne à la distraire de sa hantise ?

Le psychiatre paraissait le croire. Peut-être avait-il connu des cas similaires.

Elle lui disait, en définitive, résumant sa pensée en deux petits mots :

— J'ai accompli ma part. A toi d'accomplir la tienne.

Sinon ? Car une menace était sous-entendue. Il n'avait pas protesté quand elle avait prononcé derrière son dos :

— *Dis-moi, Tony. Si je devenais libre...*

Elle était libre depuis deux mois, il refusait de savoir à la suite de quelles circonstances. Libre et riche. Elle avait le droit de disposer, sans rendre de comptes à personne, du reste de son existence.

— *Tu te rendrais libre aussi ?*

Il n'avait pas répondu. Ne savait-elle pas, dans son for intérieur, qu'il avait volontairement évité de répondre ? Certes, il y avait eu ce bruit strident, rageur de la locomotive. Andrée pouvait s'imaginer qu'il avait dit oui, ou qu'il avait acquiescé de la tête.

A toi !

Quelle décision espérait-elle qu'il allait prendre, sans envisager la possibilité d'un refus ?

Qu'il divorce ? Qu'il aille trouver Gisèle et lui déclare de but en blanc...

Ce n'était pas pensable. Il n'avait aucun grief contre sa femme. Il l'avait choisie en connaissance de cause. Ce n'était pas une maîtresse échevelée qu'il désirait épouser mais exactement la femme qu'elle était et l'effacement de Gisèle ne lui avait pas déplu, au contraire.

On ne passe pas sa vie sur un lit, dans une chambre vibrante de soleil, à subir la fureur de deux corps nus.

Gisèle était sa compagne, la mère de Marianne, celle qui descendait la première, le matin, pour allumer le feu, qui gardait la maison propre et gaie et qui, lorsqu'il rentrait, ne lui posait pas de questions.

Ils vieilliraient ensemble, plus proches l'un de l'autre, parce qu'ils auraient plus de souvenirs communs, et il était arrivé à Tony d'imaginer les entretiens qu'ils auraient plus tard, quand ils commenceraient à se sentir vieux.

— Tu te souviens de ta grande passion ?

Qui sait ? Avec l'âge, le sourire de Gisèle mûrirait, détendrait complètement ses lèvres. Il répondrait, flatté, un peu honteux :

— Le mot est exagéré.

— Tu ne te voyais pas, quand tu revenais de Triant.

— J'étais jeune.

— Heureusement que je te connaissais déjà bien. J'avais confiance en toi, ce qui ne m'empêchait pas, parfois, d'être prise de peur. Surtout après la mort de Nicolas. Elle se trouvait soudain libre.

— Elle a essayé...

— De t'amener à divorcer ? Au fond, je me demande si elle ne t'aimait pas plus que moi.

Il lui prendrait la main, dans le crépuscule. Car il imaginait cette scène sur le seuil de leur maison, l'été, à la nuit tombante.

— Je la plains. Déjà alors, il y avait des jours où je la plaignais.

Et voilà qu'on lui ordonnait, en deux mots, d'en finir avec Gisèle !

A toi !

Plus il les tournait dans sa tête et plus ils devenaient sinistres. Andrée n'avait pas divorcé. Nicolas était mort. Personne, sauf elle, n'avait assisté à son agonie, dans la chambre au-dessus de l'épicerie. Elle avait attendu qu'il ait cessé de vivre pour aller, au fond du jardin, avertir sa belle-mère.

Etait-ce réellement à un divorce qu'elle songeait pour lui ?

A toi !

Il en arrivait à crier, rageur, en conduisant sa voiture sur les routes sans savoir où il était :

— A toi ! A toi ! A toi ! A toi...

De quel moyen disposait-il pour dissiper ce cauchemar ? Aller trouver Andrée, chez elle, et lui déclarer carrément :

— Je ne quitterai jamais ma femme. Je l'aime.

— Et moi ?

Oserait-il répondre :

— Je ne t'aime pas.

— Pourtant...

Elle était capable d'aller jusqu'au fond de sa pensée, en le défiant du regard :

— Pourtant, tu m'as laissée tuer Nicolas.

Il l'avait tout de suite soupçonnée. Gisèle aussi. Et la plupart des habitants du bourg. Ce n'était qu'une supposition. On ignorait ce qui s'était passé. Peut-être l'avait-elle seulement laissé mourir en évitant de lui porter secours.

Il n'y était pour rien.

— Tu sais bien, Andrée, que...

Il ne pouvait même pas la fuir en quittant Saint-Justin avec sa famille. Il n'avait pas fini de payer leur maison, le hangar, l'outillage. Il commençait seulement à connaître une certaine prospérité et à donner aux siens une vie confortable.

C'était incohérent, invraisemblable. Il avait fini par descendre d'auto devant une auberge pour boire. On connaissait si bien sa sobriété que la femme qui le servait tout en surveillant un bébé assis par terre le regardait avec inquiétude. Plus tard, elle devait déposer, elle aussi.

L'inspecteur Mani ne s'était pas laissé rebuter par le mutisme des gens des campagnes, revenant à charge autant de fois qu'il était nécessaire.

— Voulez-vous que je vous lise la déposition du receveur concernant cette dernière lettre ?

— C'est inutile.

— Vous prétendez qu'il a menti, qu'il a inventé l'incident de la porte laissée ouverte ?

— Je ne prétends rien.

— Un des fermiers que vous deviez rencontrer ce matin-là a téléphoné chez vous pour savoir si vous étiez retardé ou si vous ne viendriez pas. Votre femme lui a répondu que vous étiez en route. Est-ce exact ?

— Sans doute.

— Où êtes-vous allé ?

— Je ne m'en souviens pas.

— En général, vous avez une mémoire remarquable. A l'Auberge des Quatre Vents, vous avez bu, non pas de la bière ou du vin, mais du marc. Il était rare que vous preniez de l'alcool. Vous en avez consommé quatre verres coup sur coup, puis vous avez regardé l'horloge, derrière le comptoir, et vous avez paru surpris qu'il soit déjà midi...

Il avait roulé très vite, afin d'arriver chez lui à l'heure du déjeuner. Gisèle avait compris qu'il avait bu. Un moment, il lui en avait voulu. Avait-elle le droit, sous prétexte qu'il l'avait épousée, de passer son temps à l'observer ? Il en avait assez d'être espionné ! Elle ne disait rien, c'est vrai, mais c'était pire que si elle lui avait adressé des reproches.

Il était libre ! Il était un homme libre ! Et, que cela plaise à sa femme ou non, il était le chef de famille.

C'était lui qui les faisait vivre, lui qui travaillait d'arrache-pied pour les tirer de leur médiocrité. C'était lui le responsable !

Elle se taisait et, à l'autre bout de la table, il se taisait aussi. Parfois, il lui lançait un coup d'œil furtif, un peu honteux, car il savait, au fond, qu'il avait tort. Il n'aurait pas dû boire.

— Tu sais, ce n'est pas ma faute. Avec les clients, on ne peut pas refuser.

— Au fait, Brambois a téléphoné.

Pourquoi donc l'obligeait-on à mentir ? Cela l'humiliait, l'emplissait de rancune.

— Je n'ai pas eu le temps d'aller à sa ferme parce qu'on m'a retenu ailleurs.

A toi ! A toi ! A toi !

Elle était là, devant lui, à manger il ne savait même pas quoi en s'efforçant de ne pas le regarder parce qu'elle le sentait irritable.

Qu'est-ce qu'Andrée attendait de lui ? Qu'il la tue ?

Voilà ! Il y arrivait. Il osait enfin regarder en face les pensées qui avaient bouillonné dans sa tête. Est-ce que le professeur Bigot, avec ses questions prudentes, qui allaient toujours un peu plus en profondeur, comme une vrille, ne l'avait pas aidé à en arriver là ?

Il ne lui avait pas tout dit, bien sûr. Contre toute évidence, il avait continué à nier les lettres.

Il n'en restait pas moins que, ce jour-là, le jour du dernier message et des quatre verres de marc, du marc du pays à 65° qui brûlait la gorge, il s'était posé la question en déjeunant avec sa femme.

Etait-ce ça qu'Andrée exigeait de lui ? Qu'il tue Gisèle ?

Du coup, sans transition, son ivresse était devenue sentimentale. Il était coupable. Il éprouvait le besoin de demander pardon. Il tendait la main par-dessus la table pour saisir celle de sa femme.

— Ecoute ! Il ne faut pas m'en vouloir. Je suis un peu ivre.

— Tu te reposeras après le déjeuner.

— Cela te fait de la peine, n'est-ce pas ?

— Mais non.

— Je sais que si. Je ne me comporte pas comme je le devrais.

Son intuition l'avertissait qu'il s'aventurait sur un terrain dangereux.

— Tu m'en veux, Gisèle ?

— De quoi ?

— Tu te tracasses à cause de moi, avoue-le.

— Je préfère quand tu es heureux.

— Et tu crois que je ne le suis pas ? C'est ça ? Que me manque-t-il ? J'ai la meilleure des femmes, une fille qui lui ressemble et que j'adore, une jolie maison, mes affaires marchent à merveille. Pourquoi ne serais-je pas heureux, dis ? Bon ! J'ai parfois des soucis. Quand on est né dans une bicoque sans électricité ni eau courante de La Boisselle, il n'est pas aussi facile de se mettre à son compte que les gens se l'imaginent. Pense au chemin parcouru depuis que je t'ai rencontrée à Poitiers. Je n'étais qu'un ouvrier.

Il parlait, parlait, s'exaltant à mesure.

— Je suis le plus heureux des hommes, Gisèle, et si quelqu'un prétend le contraire, dis-lui de ma part qu'il a menti. Le plus heureux des hommes, entends-tu ?

Les larmes lui jaillissaient des yeux, un sanglot menaçait d'éclater dans sa gorge et il s'était précipité au premier étage où il s'était enfermé dans la salle de bains.

Elle ne lui en avait jamais reparlé.

— Je m'excuse de vous poser encore une fois la question, monsieur Falcone. Ce sera la dernière. Avez-vous reçu ces lettres ?

Tony secouait la tête comme pour dire qu'il ne pouvait pas faire autrement que de nier. Diem s'y attendait et se tourna vers le greffier.

— Veuillez aller chercher Mme Despierre.

Si Tony tressaillit, ce fut à peine visible. En tout cas, il ne manifesta pas l'émotion que le magistrat attendait. Cela tenait à ce que, pour tout le monde à Saint-Justin, Mme Despierre, c'était la mère de Nicolas, pas sa femme, que personne n'aurait eu l'idée d'appeler ainsi. La belle-fille, c'était Andrée, voire, pour les plus âgés, la fille Formier.

Il se demandait comment le témoignage de la vieille épicière pouvait éclaircir l'affaire des lettres. L'idée de se trouver en face d'elle lui déplaisait, sans plus. Il s'était levé machinalement. Il attendait, debout, à demi tourné vers la porte.

Et, tout à coup, quand celle-ci s'ouvrit, il se trouva face à face avec Andrée. Un homme corpulent, à l'air bon vivant, la suivait, ainsi qu'un des gendarmes, mais Tony ne voyait qu'elle, que son visage blanc qu'une robe noire faisait paraître plus blanc encore.

Elle aussi le fixait, sereine, un vague sourire amollissant ses traits, et on aurait pu croire qu'elle prenait calmement possession de lui, qu'elle se l'incorporait.

— Bonjour, Tony.

Sa voix de gorge, un peu rauque, enveloppante. Il ne répondait pas :

— Bonjour, Andrée.

Il n'aurait pas pu. Il n'en avait pas envie. Il la saluait gauchement de la tête en se tournant vers Diem comme pour réclamer sa protection.

— Retirez-lui les menottes.

Elle tendait les poignets au gendarme, toujours souriante, et on entendait le double déclic qu'il connaissait bien.

Il n'avait pas remarqué, à Saint-Justin, les rares fois qu'il l'avait aperçue depuis la mort de Nicolas, qu'elle portait le deuil. Son visage, en prison, s'était empâté, son corps avait grossi, juste de quoi la serrer plus étroitement dans ses vêtements, et c'était la première fois qu'il lui voyait des bas noirs.

Le garde sorti, il y eut un instant de flottement. Tout le monde restait debout dans le cabinet exigu que le soleil frappait en plein. Le greffier fut le premier à se rasseoir devant ses papiers, au bout de la table, cependant que le gros homme qui accompagnait Andrée remarquait, surpris :

— Mon confrère Demarié n'est pas ici ?

— M. Falcone ne désire pas sa présence, à moins que, pour cette confrontation, il ne change d'avis. Auquel cas je n'aurai pas à le faire chercher loin, car il m'a laissé savoir qu'il serait jusqu'à six heures au Palais. Que décidez-vous, monsieur Falcone ?

Il sursauta.

— Désirez-vous que j'appelle votre avocat ?

— Pourquoi ?

Alors, le juge Diem et maître Capade marchaient vers la fenêtre où ils avaient, à mi-voix, une conversation technique. Toujours debout, Tony et Andrée n'étaient qu'à un mètre l'un de l'autre. Il aurait presque pu la toucher. Elle le regardait toujours avec les yeux émerveillés d'un enfant qui reçoit enfin un jouet inespéré.

— Tony...

C'était à peine un murmure. Les lèvres seules remuaient en dessinant son nom. Quant à lui, il s'efforçait de regarder ailleurs et il fut soulagé quand, le colloque terminé, le magistrat tendit une chaise à la jeune femme.

— Asseyez-vous. Vous aussi, monsieur Falcone. Il reste une chaise, maître.

Tout le monde en place, il fouillait dans ses dossiers,

en sortait un petit agenda relié de toile cirée noire comme on en vendait à l'épicerie.

— Vous reconnaissez cet objet, madame Despierre ?

— Je vous ai déjà répondu que oui.

— C'est exact. Je suis obligé de vous poser un certain nombre de questions que je vous ai posées précédemment et je vous rappelle que vos réponses ont été consignées, ce qui ne vous empêche pas de revenir sur vos déclarations ou de les corriger.

Il se montrait plus officiel qu'avec Tony, presque pompeux, peut-être à cause de la présence de l'avocat. Feuilletant les pages de l'agenda, il murmurait :

— On trouve surtout dans ces pages la mention d'achats à effectuer, de rendez-vous de dentiste ou de couturière. Il s'agit de l'agenda de l'année dernière et les dates de vos rencontres avec Tony Falcone sont marquées d'un trait.

Il ne prévoyait pas que cet agenda allait jouer un rôle capital, ni que, s'il en avait connu plus tôt le contenu, il aurait évité au moins une des accusations.

— La dernière fois, je vous ai demandé le sens des petits cercles que je retrouve chaque mois.

— Je vous ai répondu que je notais ainsi la date de mes règles.

Elle en parlait sans fausse pudeur. Quelques semaines plus tôt, on avait posé à Tony des questions aussi intimes.

— Aux yeux de tous, à Saint-Justin, lui avait dit le

juge Diem, Nicolas passait pour stérile, sinon pour impuissant, et le fait est qu'après huit ans de mariage sa femme n'avait pas d'enfant. Le docteur Riquet a d'ailleurs confirmé cette stérilité probable. Vous étiez au courant ?

— Je l'avais entendu dire.

— Bien ! Rappelez-vous maintenant le récit très circonstancié que vous m'avez fait de votre rencontre, le 2 août, dans ce que vous appelez la chambre bleue, à l'Hôtel des Voyageurs. Il en découle qu'au cours de vos ébats amoureux avec votre maîtresse, vous ne preniez aucune précaution pour lui éviter une grossesse.

Comme il ne répondait pas, le magistrat poursuivait :

— Agissiez-vous de même lors de vos autres aventures extraconjugales ?

— Je ne sais pas.

— Vous souvenez-vous d'une certaine Jeanne, qui est fille de ferme chez un de vos clients ? L'inspecteur Mani l'a interrogée, en lui promettant que son nom ne figurerait pas au dossier et qu'il ne serait pas prononcé à l'audience publique. Par trois fois, vous avez eu des rapports sexuels avec elle. La première fois, au cours de l'acte, comme elle vous paraissait effrayée, vous lui avez murmuré à l'oreille :

» — N'aie pas peur. Je me retirerai à temps.

» J'en déduis que vous en aviez l'habitude. Au cas où vous le nieriez, je ferais rechercher d'autres personnes avec qui vous avez entretenu des relations.

— Je ne nie pas.

— Dans ce cas, dites-moi pourquoi, avec Andrée Despierre, et avec elle seule, vous ne preniez aucune des précautions élémentaires.

— C'est elle qui...

— Elle a soulevé la question ?

Non. Mais, la première fois, elle l'avait retenu contre elle au moment où il tentait de dénouer l'étreinte. Surpris, il avait failli lui demander :

— Tu n'as pas peur ?

Au bord de la route, près du bois de Sarelle, il avait pu penser qu'elle ferait le nécessaire en rentrant chez elle. Plus tard, à l'Hôtel des Voyageurs, il avait constaté qu'il n'en était rien.

S'il n'avait pas saisi tout de suite le rapport entre cette question du magistrat et l'accusation dont il était l'objet, il allait vite le comprendre.

— N'est-ce pas ainsi que vous auriez agi l'un et l'autre si vous aviez décidé, quoi qu'il arrive, d'unir vos existences ? Ne pas craindre une grossesse d'Andrée, monsieur Falcone, cela ne signifie-t-il pas que cette grossesse n'aurait rien changé aux événements, qu'elle vous aurait tout au plus obligé à en hâter le cours ?

Il était sorti, atterré, de cet interrogatoire-là, se demandant si le juge avait jamais eu une maîtresse de sa vie.

Aujourd'hui, Diem ne semblait pas vouloir revenir à cette question.

— Je vois ici, à la date du 1er septembre, une croix suivie du chiffre 1. Voulez-vous nous dire ce que cela signifie ?

Toujours aussi à l'aise, elle regardait le juge, puis Tony qu'elle encourageait par son sourire.

— C'est la date de ma première lettre.

— Précisez, voulez-vous ? A qui avez-vous écrit ce jour-là ?

— A Tony, naturellement.

— Pour quelle raison ?

— Depuis que mon mari avait pris le train pour Triant, le 2 août, je savais qu'il avait des soupçons et je n'osais pas retourner chez Vincent.

— Vous ne faisiez donc plus le signal convenu ?

— C'est cela. Tony avait été très impressionné en apercevant Nicolas place de la Gare. Je ne désirais pas qu'il continue à se morfondre en se figurant que la situation était dramatique.

— Qu'entendez-vous par là ?

— Il aurait pu croire que des scènes violentes avaient eu lieu entre Nicolas et moi, que mon mari avait mis sa mère au courant et qu'on me menait la vie dure, que sais-je ? Or, j'étais parvenue à fournir une raison plausible de ma présence à l'hôtel.

— Vous vous rappelez ce que vous avez écrit ?

— Parfaitement. *Tout va bien*. J'ai ajouté : *N'aie pas peur*.

Diem se tournait vers lui.

— Vous niez encore, monsieur Falcone ?

De son côté, Andrée le regardait, surprise.

— Pourquoi nierais-tu ? Tu as pourtant reçu mes lettres ?

Il ne comprenait plus, en arrivait à se demander si elle était inconsciente, s'il était possible qu'elle ne flaire pas le piège dans lequel on la faisait tomber.

— Continuons. Vous changerez peut-être d'avis tout à l'heure. Deuxième croix, le 25 septembre, cette fois. Que disait cette seconde lettre ?

Elle n'avait pas besoin de chercher dans sa mémoire. Elle les savait par cœur, comme il connaissait par cœur les répliques échangées dans la chambre bleue l'après-midi du 2 août.

— Ce n'était qu'un bonjour : *Je n'oublie pas. Je t'aime*.

— Remarquez que, selon votre propre recollection, vous n'avez pas écrit : « Je ne t'oublie pas. »

— Non. Je n'oubliais pas.

— Qu'est-ce que vous n'oubliiez pas ?

— Tout. Notre amour. Nos promesses.

— 10 octobre, soit vingt jours avant la mort de votre mari. Au cours d'un précédent interrogatoire, vous avez fourni le texte de cette troisième lettre : *Bientôt ! Je t'aime*. Qu'entendiez-vous par *bientôt* ?

Toujours calme, elle répondait, après avoir rassuré Tony du regard :

— Que nous pourrions reprendre prochainement nos rendez-vous.

— Pourquoi ?

— J'avais fait tant et si bien que Nicolas ne pensait plus à ses soupçons.

— N'est-ce pas plutôt que vous saviez qu'il ne vivrait plus longtemps ?

— Je vous ai répondu par deux fois. C'était un grand malade, qui pouvait aussi bien traîner pendant plusieurs années que disparaître subitement, le docteur Riquet nous l'avait répété, à sa mère et à moi, quelques jours auparavant.

— A quelle occasion ?

— A l'occasion d'une crise. Elles devenaient plus fréquentes, en même temps que son estomac supportait de moins en moins bien les aliments.

Tony écoutait, éberlué. Par moments, il soupçonnait les autres, y compris Andrée et son avocat qui l'approuvait de la tête, d'être de connivence, de s'être préalablement entendus pour lui jouer la comédie.

Des questions lui venaient aux lèvres, que le juge aurait dû poser et que Diem prenait, au contraire, grand soin d'éviter.

— Nous voici donc au 29 décembre. Le Nouvel An approche. Petite croix dans votre agenda.

Sans attendre, elle fournissait le texte de son message.

— *Bonne notre année.*

Elle ajoutait avec une pointe d'orgueil :

— J'ai longtemps cherché. Ce n'est peut-être pas du bon français. Je tenais à souligner que cette année serait la nôtre.

— Qu'entendez-vous par là ?

— Vous oubliez que Nicolas était mort ?

Elle en parlait la première, naturellement, sans rien perdre de sa sérénité effarante.

— Vous voulez dire que vous étiez libre ?

— Cela va de soi.

— Et que, dans ce cas, il n'y avait plus aucun obstacle à ce que l'année qui allait commencer soit réellement la vôtre : celle de Tony et de vous ?

Elle approuvait, plus tranquille et satisfaite que jamais. Une fois encore, le juge Diem, au lieu de la pousser dans ses retranchements, évitait d'insister, saisissait un autre agenda pareil au premier.

Tony se rendait seulement compte qu'il n'était pas le seul à avoir passé, les deux derniers mois, de nombreuses heures dans ce cabinet. Certes, il avait appris par son avocat l'arrestation d'Andrée, dix ou douze jours après sa propre arrestation. On l'avait donc fatalement interrogée. Mais, dans son esprit, cela restait théorique. Il n'avait pas envisagé que ses réponses à elle pourraient avoir autant de poids, sinon plus, que les siennes.

— Il nous reste une lettre, madame Despierre, la plus courte mais la plus significative. Elle ne comporte que deux mots.

Andrée lançait comme un défi orgueilleux :

— *A toi !*

— Voulez-vous nous expliquer, aussi exactement que possible, ce que vous entendiez par là ?

— Vous ne trouvez pas les mots assez clairs ? J'étais libre, vous l'avez dit. Une fois le deuil passé...

— Un instant ! Est-ce à cause de votre deuil que vous n'avez pas repris vos rendez-vous après la mort de votre mari ?

— En partie. En partie aussi parce que je me trouvais en litige avec ma belle-mère et que, si l'affaire passait devant les tribunaux, notre liaison aurait pu me faire du tort.

— Vous n'avez donc pas remis la serviette à la fenêtre après la Toussaint ?

— Une fois.

— Votre amant était au rendez-vous ?

— Non.

— Vous êtes montée dans la chambre ?

Avec impudeur, elle précisait :

— Je me suis dévêtue, comme d'habitude, persuadée qu'il viendrait.

— Vous aviez à lui parler ?

— Si j'avais eu à lui parler, je ne me serais pas mise nue.

— Vous n'aviez aucune question à discuter ensemble ?

— Discuter quoi ?

— Entre autres, la façon dont il se libérerait à son tour.

— C'était décidé depuis longtemps.

— Depuis le 2 août ?

— Ce n'était pas la première fois.

— Il était convenu qu'il divorcerait ?

— Je ne suis pas sûre que le mot ait été prononcé. Je l'ai compris ainsi.

— Vous entendez, Falcone ?

Elle se tournait vers lui, écarquillait les yeux.

— Tu ne le leur as pas dit ?

Puis, au juge :

— Je ne vois pas ce que cela a d'extraordinaire. Chaque jour des gens divorcent. Nous nous aimons. Je l'aimais déjà alors que je n'étais qu'une petite fille et, si je me suis résignée à épouser Nicolas, c'est parce que Tony avait disparu du pays, et que j'étais persuadée qu'il n'y reviendrait jamais.

» Lorsque nous nous sommes retrouvés, nous avons compris tous les deux que nous étions pour toujours l'un à l'autre.

Il aurait voulu protester, crier très fort, en se levant :

— Non ! Non ! Et non ! Qu'on en finisse ! Tout est faux ! Tout est truqué !

Il restait assis sur sa chaise, trop stupéfait pour intervenir. Pouvait-elle penser ce qu'elle disait ? Elle parlait simplement, sans pathos, comme si les choses allaient de soi, comme s'il n'existait aucun drame, aucun mystère.

— Donc, quand vous lui avez écrit *A toi !* vous aviez en tête...

— Que je l'attendais. Que c'était à lui de faire le nécessaire...

— De demander le divorce ?

Etait-ce exprès qu'elle marquait une légère hésitation avant de laisser tomber :

— Oui.

C'était à Tony, maintenant, que le juge lançait un coup d'œil complice avant de questionner Andrée plus avant. Il semblait lui dire :

— Ecoutez bien. Ceci va vous intéresser.

Et, d'une voix égale, sans trace d'ironie ou de persiflage :

— Vous ne pensiez pas au chagrin de Gisèle Falcone ?

— Elle n'aurait pas pleuré longtemps.

— Qu'en savez-vous ? Elle n'aimait pas son mari ?

— Pas comme moi. Ces femmes-là ne sont pas capables d'un véritable amour.

— Et sa fille ?

— Justement ! Elle se serait consolée avec sa fille et, pour autant qu'on leur verse une petite rente, elles auraient mené une bonne petite vie.

— Vous entendez, Falcone ?

Le juge dut regretter d'avoir poussé les choses si loin, car Tony avait un visage effrayant, quasi inhumain à force de douleur et de haine. Il se levait lentement de sa chaise, les traits figés, les yeux fixes, l'air d'un somnambule.

Ses bras, au bout desquels les poings se serraient, paraissaient anormalement longs. Le gros avocat, qui s'était tourné vers lui par curiosité, bondissait pour se placer entre lui et sa cliente.

Quant à Diem, il adressait un signe impératif au greffier, qui courait vers la porte.

La scène parut très longue, bien qu'elle ne durât en fait que quelques secondes. Les gendarmes entraient et l'un d'eux passait brutalement les menottes à Tony. Il attendait des ordres. Le juge hésitait, regardant tour à tour son prisonnier et Andrée qui ne se démontait pas et qui paraissait seulement étonnée.

— Je ne vois pas, Tony, pourquoi tu...

Mais, sur un geste du magistrat, c'était elle qu'on emmenait. Son avocat lui tenait le bras et la poussait fermement vers la porte. Elle se retourna encore pour lancer :

— Tu sais bien que tu as dit toi-même...

On n'entendit pas la suite, car la porte se referma sur elle.

— Je m'excuse, Falcone. J'y étais obligé. Dans quelques instants, dès que la voie sera libre, on vous reconduira à la prison.

Le soir même, Diem en parlait à sa femme en achevant de dîner.

— J'ai procédé aujourd'hui à la plus cruelle confrontation de ma carrière et je souhaite ne plus en diriger d'aussi pénibles.

Quant à Tony, dans sa cellule, il ne dormit pas de la nuit.

6

Il passa deux jours dans une sorte d'hébétude dont il ne sortait parfois que pour un bref sursaut de révolte qui le faisait arpenter sa cellule comme s'il allait se jeter la tête contre les murs.

C'était le week-end et tout le monde devait être parti pour la campagne.

Contrairement à toute attente, il s'était, dès le début, accommodé de la vie en prison, obéissant sans protester aux règlements et aux instructions de ses gardiens.

Ce ne fut que le troisième jour qu'il se sentit abandonné. Personne ne venait le voir. On ne parlait pas de le conduire au Palais. Il guettait avec impatience les bruits de pas dans le couloir, se mettant debout chaque fois que quelqu'un s'arrêtait à son guichet.

Plus tard, seulement, il se rendit compte que la rue était silencieuse, le trafic presque nul et, vers quatre heures, un des geôliers lui confirma que ce lundi-là était jour férié.

Dès dix heures, le mardi, on introduisait dans sa cellule maître Demarié qui avait un coup de soleil. Il prit son temps pour étaler les papiers qu'il extrayait de sa serviette, pour s'installer, offrir une cigarette et en allumer une.

— Ces trois jours ne vous ont pas paru trop longs ?

Il toussota, car Tony ne prenait pas la peine de répondre et attendait dans une attitude peu encourageante.

— J'ai reçu copie du procès-verbal de votre dernier interrogatoire et de la confrontation avec Andrée Despierre.

Croyait-il en l'innocence de son client ? En était-il encore à se faire une opinion ?

— Je mentirais en prétendant que c'est bon pour nous. Cette histoire de lettres est désastreuse et fera d'autant plus mauvais effet sur le jury que vous en avez nié l'existence. Les textes cités par la Despierre sont-ils exacts ?

— Oui.

— J'aimerais que vous répondiez franchement à une question. Lorsque vous vous obstiniez à nier cette correspondance, contre toute évidence, était-ce pour ne pas accabler votre maîtresse ou parce que vous considériez ces messages comme dangereux pour vous ?

A quoi bon essayer une fois de plus ? Les hommes aiment à penser qu'on agit, en toutes circonstances, pour une raison précise. La première fois qu'on avait parlé de ces lettres, il n'avait pas réfléchi et l'idée ne lui était pas venue qu'on irait interroger le receveur des postes.

Il avait fallu des semaines pour qu'il se rende compte de l'activité inouïe de l'inspecteur Mani et de ses collaborateurs, du nombre de personnes qu'ils allaient voir chez elles, jour après jour, jusqu'à ce qu'elles se résignent à parler.

Existait-il un seul habitant de Saint-Justin, un seul fermier des environs, un habitué des foires, surtout de la foire de Triant, qui n'avait pas eu son mot à dire ?

Les reporters s'en étaient mêlés aussi et on avait pu lire dans les journaux des colonnes entières de confidences.

— J'ai rencontré Diem, brièvement, et il m'a laissé entendre que cette confrontation vous avait été particulièrement pénible. Il paraît qu'à la fin vous avez perdu votre sang-froid. Andrée, au contraire, n'a pas cessé d'afficher une calme assurance. Je présume que c'est l'attitude qu'elle adoptera aux assises.

Demarié s'efforçait de l'arracher à son apathie.

— J'ai essayé d'avoir l'opinion du juge, encore que son importance soit loin d'être décisive une fois l'instruction terminée. Il ne cache pas qu'il ressent pour vous une certaine sympathie. Cependant je jurerais que, depuis bientôt deux mois qu'il vous observe, il n'est pas parvenu à se faire une opinion.

Pourquoi ce bavardage, ces mots sans intérêt ?

— Au fait ! J'ai rencontré Bigot aussi, par hasard, vendredi soir, chez des amis qui avaient organisé un bridge, et il m'a attiré dans un coin. Il m'a parlé d'une découverte assez curieuse qui vient malheureusement trop tard.

» Vous avez admis, en effet, qu'avec Andrée vous ne preniez pas les précautions qui vous étaient habituelles avec les autres femmes, qu'elle n'en prenait pas de son côté, que vous ne vous en inquiétiez pas, ce qui amènera les jurés à conclure que vous ne craigniez pas de lui faire un enfant.

Tony écoutait, curieux de la suite.

— Andrée, vous le savez, notait dans son agenda les dates de ses règles. Bigot a eu la curiosité de les confronter avec celles de vos rendez-vous à Triant pendant les onze mois de vos relations. Diem n'y avait pas pensé. Moi non plus, je l'avoue.

» Savez-vous à quoi ces dernières dates correspondent ? Invariablement, sans une exception, aux périodes pendant lesquelles votre maîtresse n'était pas féconde.

» Autrement dit, Andrée Despierre ne risquait rien, détail qui aurait plaidé en votre faveur sans vos déclarations précédentes. Je m'en servirai quand même, mais l'argument aura moins de force.

Tony retombait dans l'indifférence et l'avocat n'insista pas longtemps.

— Je crois que vous serez conduit au Palais cet après-midi.

— Elle aussi ?

— Non. Seul, cette fois. Vous ne souhaitez toujours pas ma présence ?

A quoi bon ? Demarié était comme les autres. Il ne comprenait pas plus qu'eux. Ses interventions ne pourraient que compliquer les choses. Tony était content, malgré tout, de savoir qu'il était sympathique au petit juge.

Il le revit à trois heures dans son cabinet. Il tombait une pluie fine et un parapluie s'égouttait dans un coin, celui du greffier, probablement, car le magistrat venait au Palais dans sa 4 CV noire.

Diem n'avait pas pris de coup de soleil. Il avoua d'ailleurs avec simplicité :

— J'ai profité du long week-end pour revoir le dossier de bout en bout. Comment vous sentez-vous aujourd'hui, Falcone ? Cet interrogatoire risque de durer, je vous en avertis, car nous en arrivons au mercredi 17 février. Voulez-vous me donner votre emploi du temps aussi détaillé que possible pour cette journée-là ?

Il s'y attendait. Il s'était étonné, chaque fois qu'on l'amenait du Palais, qu'on n'en soit pas encore là.

Le 17 février, c'était la fin, la fin de tout, une fin qu'il n'avait pas prévue, même dans ses pires cauchemars, et qui pourtant, après coup, lui apparaissait comme logique et fatale.

— Préférez-vous que je vous aide en posant des questions précises ?

Il fit oui de la tête. Livré à lui-même, il n'aurait pas su par où commencer.

— Votre femme s'est levée à l'heure habituelle ?

— Un peu plus tôt. Il avait plu toute la matinée du mardi, de sorte que le linge n'avait pas séché avant le milieu de l'après-midi. Elle comptait consacrer toute sa journée au repassage.

— Et vous ?

— Je suis descendu à six heures et demie.

— Vous avez pris le petit déjeuner en tête à tête ? A-t-il été question de vos rendez-vous de la journée ? Tâchez d'être très précis.

Diem avait étalé devant lui les procès-verbaux d'autres interrogatoires, les premiers, que lui avaient fait subir tour à tour le lieutenant de gendarmerie de Triant, Gaston Joris, avec qui il avait souvent pris l'apéritif chez son frère, puis l'inspecteur Mani, qui était corse.

— Je lui avais annoncé la veille, donc le mardi soir, que j'aurais une journée chargée, que je ne rentrerais pas déjeuner et que, peut-être, je serais en retard pour le dîner.

— Vous lui avez fourni des détails sur votre emploi du temps ?

— Je lui ai seulement parlé de la foire à Ambasse, où des clients m'attendaient, et d'une réparation à effectuer à Bolin-sur-Sièvre.

— N'est-ce pas en dehors de votre secteur ?

— Bolin n'est guère qu'à trente-cinq kilomètres de Saint-Justin et je commençais à étendre mon rayon d'action.

— Vous saviez, dès ce moment, que vos explications étaient fausses ?

— Elles ne l'étaient pas complètement.

— Vous êtes monté, à sept heures, pour éveiller votre fille ? Cela vous arrivait souvent ?

— Presque chaque matin. Je l'éveillais avant de faire ma toilette.

— Vous avez choisi votre meilleur complet, un complet bleu que vous réserviez pour le dimanche.

— A cause de mon rendez-vous à Poitiers. Je tenais à paraître prospère aux yeux de Garcia.

— Nous reviendrons à lui plus tard. Quand vous êtes descendu, votre fille, dans la cuisine, se préparait à partir pour l'école. Avant de vous diriger vers Ambasse et Bolin-sur-Sièvre, vous deviez passer par la poste, puis par la gare, où vous attendiez un colis.

— Un piston, que j'avais commandé pour mon client de Bolin.

Deux ou trois fois, il avait eu un coup d'œil machinal vers la chaise vide qui se trouvait devant le bureau et Diem finit par comprendre que c'était celle qu'Andrée occupait la semaine précédente.

Cette chaise, pourtant banale, qui paraissait n'avoir pas changé de place depuis le vendredi, semblait agacer Tony et le juge, tout en arpentant la pièce, alla la poser contre le mur.

— Vous avez proposé à votre fille de la conduire à l'école en camionnette.

— Oui.

— N'était-ce pas exceptionnel ? N'aviez-vous aucune raison, ce matin-là, de vous montrer particulièrement tendre avec elle ?

— Non.

— N'avez-vous pas demandé à votre femme s'il y avait des courses à faire au village ?

— Non. Je l'ai déclaré à l'inspecteur. J'étais sur le seuil quand Gisèle m'a rappelé.

» — Voudrais-tu passer par l'épicerie pour prendre un kilo de sucre et deux paquets de lessive ? Cela m'éviterait de m'habiller.

» Ce sont ses paroles exactes.

— C'était courant ?

Fallait-il une fois encore entrer dans des détails ménagers ? Il l'avait fait avec Mani. Presque chaque jour, comme dans tous les ménages, il y avait des achats à faire dans des magasins différents, entre autres chez le boucher ou le charcutier. Gisèle évitait de l'envoyer dans ces boutiques, où il fallait presque toujours attendre.

— Ce n'est pas l'affaire des hommes, disait-elle.

Ce mercredi-là, elle désirait se mettre le plus tôt possible au repassage. Comme on avait mangé du gigot la veille et qu'il en restait, on n'avait pas besoin de viande. Il n'y avait donc qu'une seule course à faire.

— Vous êtes donc parti avec votre fille.

Il revoyait encore, dans son rétroviseur, Gisèle, sur le seuil, s'essuyant les mains à son tablier.

— Vous avez déposé Marianne devant l'école et vous vous êtes dirigé vers le bureau de poste. Ensuite ?

— Je suis entré à l'épicerie.

— Depuis combien de temps n'y aviez-vous pas mis les pieds ?

— Peut-être deux mois.

— Vous n'y étiez pas retourné depuis la dernière lettre, celle qui ne comportait que les deux mots : « A toi ! » ?

— Non.

— Vous étiez ému, monsieur Falcone ?

— Pas ému. J'aurais préféré ne pas me trouver en présence d'Andrée, surtout sous les yeux de plusieurs personnes.

— Vous craigniez de vous trahir ?

— J'étais mal à l'aise.

— Qui était dans la boutique lorsque vous êtes entré ?

— Je me souviens d'un gamin à qui je n'ai pas prêté attention, d'une des sœurs Molard et d'une vieille femme que tout le monde appelle la Louchote.

— La vieille Mme Despierre était là ?

— Je ne l'ai pas vue.

— Vous avez dû attendre votre tour ?

— Non. Andrée m'a demandé tout de suite :

» — Qu'est-ce que tu désires, Tony ?

— Elle vous faisait passer avant les autres ? Personne n'a protesté ?

— C'est l'habitude. Presque partout, on sert les hommes les premiers.

» — Un kilo de sucre et deux paquets de lessive.

» Elle les a pris dans les rayons, puis elle m'a dit :

» — Un instant. J'ai reçu la confiture de prunes que ta femme me réclame depuis quinze jours.

» Elle a disparu dans l'arrière-boutique et en est revenue avec un pot de confiture de la même marque que je voyais d'habitude à la maison...

— Elle est restée longtemps absente ?

— Pas très longtemps.

— Une minute ? Deux minutes ?

— Le temps m'a paru normal.

— Pour saisir un pot de confiture et l'apporter dans le magasin ? Ou bien pour le chercher parmi d'autres marchandises entassées ?

— Entre les deux. Je ne sais pas.

— Andrée Despierre était émue ?

— J'évitais de la regarder.

— Vous ne l'en avez pas moins vue. Vous avez entendu sa voix.

— Je pense qu'elle était heureuse de me voir.

— Elle ne vous a rien dit d'autre ?

— Elle m'a lancé, au moment où j'ouvrais la porte :

» — Bonne journée, Tony !

— Le ton vous a paru naturel ?

— Sur le moment, je n'y ai pas prêté attention. C'était un jour comme un autre.

— Et après coup ?

— Peut-être la voix était-elle plus tendre.

— Il arrivait à Andrée de se montrer tendre avec vous ?

N'était-il pas obligé de dire la vérité ?

— Oui. C'est difficile à expliquer. D'une tendresse particulière, comme j'en montrais certains jours à Marianne, par exemple.

— Maternelle ?

— Ce n'est pas le mot non plus. Protectrice serait plus juste.

— Première coïncidence, donc : votre femme vous charge, assez exceptionnellement, d'aller à l'épicerie à sa place. Seconde coïncidence : une certaine confiture, qu'elle est seule à manger, manquait depuis plusieurs jours au magasin. Il vient d'en arriver un colis et on vous en remet un pot. Troisième coïncidence, que l'inspecteur Mani n'a pas manqué de souligner : ce jour-là, vous ne rentrez pas directement chez vous, mais vous vous rendez à la gare.

— Je m'étais fait envoyer le piston par exprès et...

— Ce n'est pas tout. La gare de Saint-Justin, comme la plupart des bâtiments, comporte quatre faces, l'une qui donne sur la voie, l'autre, à l'opposé, par laquelle entrent et sortent les voyageurs, une troisième, à gauche, où s'ouvre la porte du chef de gare. La quatrième face, au nord, n'a ni porte ni fenêtre. C'est un mur nu, aveugle, et c'est devant ce mur que vous avez rangé votre camionnette.

— Si vous êtes allé sur les lieux, vous devez savoir que c'est l'emplacement logique.

— Le chef de gare, plongé dans ses bordereaux, vous a dit d'aller chercher votre colis vous-même dans le local des marchandises.

— Tous les habitants le faisaient.

— Combien de temps êtes-vous resté à la gare ou près de la gare ?

— Je n'ai pas regardé l'heure. Quelques minutes.

— Le chef de gare affirme qu'il n'a entendu repartir votre voiture qu'après un temps assez long.

— J'ai voulu m'assurer qu'on m'avait envoyé le bon piston, car il se produit assez souvent des erreurs.

— Vous avez défait le paquet ?

— Oui.

— Dans la camionnette ?

— Oui.

— Où personne ne pouvait vous voir ? Ajoutons cette coïncidence aux autres. Rentré chez vous, vous avez posé vos achats sur la table de la cuisine. Votre femme, dans le jardin, retirait le linge des cordes et l'entassait dans une corbeille. Vous êtes allé vers elle ? Vous l'avez embrassée avant de partir ?

— Ce n'était pas l'habitude. Il ne s'agissait pas d'un voyage. Du seuil, je lui ai crié :

» — A ce soir !

— Vous ne lui avez pas annoncé que la confiture était arrivée ?

— Pourquoi ? Elle la trouverait sur la table.

— Vous ne vous êtes pas attardé dans la cuisine ?

— Au dernier moment, j'ai vu la cafetière sur le coin du feu et je me suis versé une tasse de café.

— Si je ne me trompe, cela fait au moins la cinquième coïncidence.

Pourquoi Diem les soulignait-il avec tant d'insistance ? Tony ne pouvait rien y changer. Tenait-on à ce qu'il proteste ou à ce qu'il s'indigne ? Il avait dépassé ce cap-là depuis longtemps et se contentait de répondre d'une voix indifférente. Il était aussi morne, aussi mou que l'avait été cette journée du 17 février, avec son ciel d'un gris uni, sa lumière sourde, la campagne qui paraissait vide, les flaques d'eau laissées par une averse récente.

— Pourquoi êtes-vous passé par Triant ?

— Parce que c'était mon chemin.

— Vous n'aviez pas d'autre raison ?

— Je désirais parler à mon frère.

— Pour lui demander conseil ? Il vous arrivait, bien que l'aîné, de lui demander conseil ?

— Je lui parlais souvent de mes affaires. En outre, il était le seul au courant de mes ennuis avec Andrée.

— Vous admettez que vous aviez des ennuis ?

— Ses lettres me tracassaient.

— Le mot n'est-il pas faible, après ce que vous avez avoué à Mani ?

— Mettons qu'elles me faisaient peur.

— Et vous aviez pris une décision ? C'est de celle-ci que vous vous êtes entretenu avec Vincent ? Il se fait, monsieur Falcone, que, tandis que vous causiez avec lui, votre belle-sœur était dehors à faire son marché et que Françoise nettoyait les chambres, au premier étage.

— Comme chaque matin. Vincent, quand je suis entré dans le café, n'était pas là non plus. J'ai entendu des bruits de bouteilles dans la cave et j'ai vu la trappe ouverte derrière le comptoir. Mon frère soutirait le vin pour la journée et j'ai attendu qu'il remonte.

— Sans l'avertir que vous étiez là ?

— Je ne voulais pas qu'il s'interrompe. De mon côté, j'avais le temps. Je me suis assis près de la fenêtre et j'ai pensé à ce que je dirais à Garcia.

— Vous veniez demander conseil à votre frère, mais votre décision était prise ?

— Plus ou moins.

— Expliquez-vous.

— Je prévoyais que Garcia hésiterait, car c'est un homme prudent, qui s'effraie facilement. Cela revenait, pour moi, à jouer à pile ou face.

— Jouer votre avenir et celui de votre famille à pile ou face ?

— Oui. Si Garcia se laissait convaincre, je vendais. S'il refusait de se lancer dans l'aventure, je restais.

— Et le rôle de votre frère ?

— Je tenais à le mettre au courant.

— En l'absence de tout témoin, y compris de votre belle-sœur, de sorte que, sauf Vincent et vous, personne ne peut nous renseigner sur cet entretien. Vous êtes très unis, n'est-il pas vrai ?

Tony se souvenait du temps où il emmenait son frère à l'école, le long des chemins boueux ou gelés. Ils portaient de lourds cabans. L'hiver, ils quittaient la maison et y revenaient dans l'obscurité. Souvent Vincent, fatigué, traînait ses souliers cloutés sur le sol et se laissait tirer. A la récréation, Tony veillait de loin sur lui et, de retour à La Boisselle, en attendant leur père, c'était lui qui lui faisait ses tartines.

Mais ces choses-là ne se racontent pas, des choses toutes simples, qu'il faut avoir vécues soi-même. Le juge Diem ne les avait pas vécues.

Vincent était certainement l'être humain avec qui il se sentait le plus en communion et son frère, de son côté, lui était reconnaissant de ne pas se comporter en aîné. De parler italien entre eux était un lien de plus, car cela leur rappelait le temps où, enfants, ils n'employaient que cette langue avec leur mère.

— J'ai peur, si je reste, de ne pas avoir la paix.

— Elle ne t'a rien dit, ce matin ?

— Nous n'étions pas seuls dans le magasin. Je m'attends, dans deux ou trois jours, à une nouvelle lettre, et Dieu sait ce que, cette fois, elle contiendra !

— Quelle raison donneras-tu à Gisèle ?

— Je n'y ai pas encore réfléchi. Si je lui dis qu'il n'y a pas de possibilité d'expansion dans la contrée, elle me croira.

Ils avaient bu un vermouth ensemble, chacun d'un côté du comptoir, puis un livreur de limonade était entré et Tony s'était dirigé vers la porte laissée ouverte.

— A Dieu vat ! lui avait lancé Vincent.

Diem avait peine à croire que l'entrevue s'était passée aussi simplement, peut-être parce que les deux frères, dès leur enfance, avaient eu l'habitude du malheur.

— Il n'a pas tenté de vous dissuader ?

— Au contraire. Il paraissait soulagé. Dès le début, il avait vu d'un mauvais œil mes relations avec Andrée.

— Poursuivez votre emploi du temps.

— Je me suis à peine arrêté à la foire d'Ambasse, qui n'était qu'une petite foire d'hiver et, après avoir distribué quelques prospectus, j'ai gagné Bolin-sur-Sièvre où je me suis rendu chez mon client.

— Un instant. Votre femme connaissait son nom ?

— Je ne me souviens pas le lui avoir dit.

— Lorsque vous partiez ainsi en tournée, ne lui indiquiez-vous pas les endroits où elle pourrait éventuellement vous atteindre ?

— Pas forcément. Pour les foires, c'était facile, car je m'installais toujours dans les mêmes cafés. Lorsque je visitais les fermes, elle avait une idée approximative de mon itinéraire et pouvait me téléphoner.

— Vous ne lui avez pas parlé de Poitiers ?

— Non.

— Pourquoi ?

— Parce que rien n'était définitif et que je ne voulais pas l'inquiéter à l'avance.

— L'idée ne vous a pas effleuré de lui avouer simplement la vérité et de lui révéler les soucis que vous donnait votre liaison avec Andrée Despierre ? Cette liaison étant, selon vous, terminée, cela n'aurait-il pas été la meilleure solution ? Vous ne l'avez pas envisagée ?

Non. Sa réponse paraissait peut-être ridicule, mais c'était la vérité.

— Mon client de Bolin-sur-Sièvre, un gros fermier nommé Dambois, m'a invité à déjeuner et, à deux heures, j'avais terminé mon travail. Je me suis alors dirigé vers Poitiers sans me presser.

— Comment aviez-vous donné rendez-vous à votre ami Garcia ?

— Je lui avais écrit le samedi précédent pour l'avertir que j'irais le prendre à la sortie des ateliers. Garcia était mon contremaître quand je travaillais au dépôt central. Il a une dizaine d'années de plus que moi, trois enfants, dont un fils au lycée.

— Continuez.

— J'étais fort en avance. J'aurais pu entrer dans les ateliers d'assemblage, mais j'aurais été obligé d'engager la conversation avec mes anciens camarades et je n'en avais pas le courage. Les bâtiments se dressent à deux kilomètres de la ville, sur la route d'Angoulême. J'ai poussé jusqu'à Poitiers et je suis entré dans un cinéma d'actualités.

— Vous l'avez quitté à quelle heure ?

— A quatre heures et demie.

— A quelle heure aviez-vous quitté votre frère, le matin ?

— Un peu avant dix heures.

— Autrement dit, contrairement à l'habitude, de dix heures du matin à quatre heures et demie, personne, ni votre femme, ni qui que ce soit, ne savait où vous atteindre ?

— Cela ne m'a pas frappé.

— A supposer que votre fille ait eu un accident grave... Passons ! Vous êtes allé attendre Garcia à la sortie de l'atelier.

— Oui. Il était intrigué par ma lettre. Nous avons failli entrer dans le café d'en face, mais nous y aurions rencontré des camarades. Comme Garcia était à moto, il m'a suivi en ville jusqu'à la Brasserie du Globe.

— Personne, non plus, ne vous savait donc à la Brasserie du Globe ? Pas même votre frère ?

— Non. Garcia m'a donné des nouvelles de sa famille, je lui en ai donné de la mienne, après quoi je lui ai parlé de l'affaire.

— Lui avez-vous dit pourquoi vous aviez l'intention de quitter Saint-Justin ?

— Seulement que c'était une question de femme. Je n'ignorais pas qu'il avait de l'argent de côté et que, plusieurs fois, il avait parlé de s'établir à son compte. Je lui apportais une affaire montée, la maison, le hangar, l'outillage, sans compter une clientèle déjà importante.

— Il s'est laissé tenter ?

— Il ne m'a pas donné de réponse définitive. Il s'accordait une semaine de réflexion, désirant avant tout en parler à sa femme et à son fils aîné. Ce qui l'ennuyait le plus, c'était de quitter Poitiers, surtout à cause du garçon qui réussissait au lycée et qui y avait ses amis. Je lui ai objecté qu'il existait un bon collège à Triant.

» — Et il devra faire quinze kilomètres matin et soir, à moins de le mettre interne !

— Combien de temps a duré cet entretien ?

— Un peu avant sept heures, Garcia m'a invité à l'accompagner chez lui. Je lui ai répondu que ma femme m'attendait.

— Quels étaient vos projets pour le cas où, la semaine suivante, Garcia vous aurait donné son accord ?

— J'aurais demandé à la société un poste de représentant, dans le Nord ou dans l'Est, en Alsace, par exemple, le plus loin possible de Saint-Justin. On me l'aurait accordé, car je suis bien noté. Peut-être, un jour, me serais-je établi à nouveau.

— Vous auriez laissé votre père seul à La Boisselle ?

— Vincent n'en est pas loin.

— Vous désirez prendre un instant de repos, monsieur Falcone ?

— Je peux ouvrir la fenêtre ?

Il avait besoin d'air. Depuis le début de cet interrogatoire, banal en apparence, il se sentait étouffer. Il y avait quelque chose d'irréel et de menaçant dans ces répliques qui évoquaient des faits précis mais qui, en réalité, se rapportaient toutes à un drame dont il n'était jamais question.

— Cigarette ?

Il en prit une, se campa devant la rue, devant les fenêtres d'en face, les toits mouillés. Si encore ça pouvait être la dernière fois ! Mais, si Diem ne revenait pas un autre jour sur le sujet, il n'en faudrait pas moins tout recommencer aux assises.

Il se rasseyait, résigné.

— Nous en sommes presque à la fin, Falcone.

Il approuvait de la tête, avec un triste sourire à l'adresse du juge chez qui il croyait deviner une certaine compassion.

— Vous êtes rentré directement à Saint-Justin ? Sans vous arrêter nulle part ?

— J'ai eu hâte, tout à coup, d'être chez moi, de retrouver ma femme et ma fille. Je crois que j'ai roulé très vite. Normalement, il faut environ une heure et demie pour faire la route et je l'ai parcourue en moins d'une heure.

— Vous aviez bu, avec Garcia ?

— Il a pris deux apéritifs, moi un seul vermouth.

— Comme avec votre frère.

— Oui.

— Vous êtes repassé devant chez lui. Vous n'êtes pas descendu de voiture pour lui apprendre le résultat de votre démarche ?

— Non. D'ailleurs, à cette heure-là, il y a toujours du monde dans le café et Vincent était certainement occupé.

— La nuit était tombée. Vous avez découvert de loin les lumières de Saint-Justin. Rien ne vous a frappé ?

— J'ai été surpris de voir toutes les fenêtres de ma maison éclairées, ce qui n'arrivait jamais, et j'ai eu l'intuition d'un malheur.

— A quoi avez-vous pensé ?

— A ma fille.

— Pas à votre femme ?

— Dans mon esprit, Marianne était naturellement la plus fragile et la plus exposée à un accident.

— Sans essayer de conduire votre voiture dans le hangar, vous l'avez arrêtée à une vingtaine de mètres de la maison.

— La moitié du village était rassemblée devant notre barrière, ce qui me confirmait qu'un malheur était arrivé.

— Vous avez été obligé de fendre la foule.

— Elle s'écartait sur mon passage mais, au lieu de me regarder avec pitié, on me fixait avec colère et je ne comprenais pas. Le gros Didier, le maréchal-ferrant, en tablier de cuir, s'est même campé devant moi, les poings aux hanches, et a craché sur mes chaussures.

» Pendant que je traversais la pelouse, j'entendais derrière moi une rumeur menaçante. La porte s'est ouverte sans que j'aie besoin d'y toucher et c'est un gendarme que je connaissais de vue, pour l'avoir souvent rencontré au marché de Triant, qui m'a accueilli.

» — Par ici ! m'a-t-il commandé en me désignant la porte de mon bureau.

» J'y ai trouvé le brigadier Langre installé à ma place. Au lieu de m'appeler Tony, comme d'habitude, il a grogné :

» — Assieds-toi, salaud !

» Alors, j'ai crié :

» — Où est ma femme ? Où est ma fille ?

» — Ta femme, tu sais aussi bien que moi où elle est !

Il se tut. Les mots ne passaient plus. Il ne s'agitait pas. Il était plutôt trop calme. Diem, de son côté, évitait de le presser et le greffier fixait la pointe de son crayon.

— Je ne sais plus, monsieur le juge. C'est confus. Langre m'a appris à un moment donné que Marianne avait été emmenée par les sœurs Molard et j'ai cessé de m'inquiéter pour elle.

» — Avoue que tu savais et que tu ne t'attendais pas à les retrouver vivantes ! Putain d'étranger ! Charogne !

» Il s'était levé et je comprenais qu'il n'attendait qu'une occasion pour me frapper. Je répétais :

» — Où est ma femme ?

» — A l'hôpital de Triant, si tu ne t'en doutes pas.

» Puis, après avoir consulté sa montre :

» — Seulement, à l'heure qu'il est, elle n'est probablement plus en vie. On ne tardera pas à le savoir. Où étais-tu, toute la journée ? Tu te cachais, hein ? Tu préférais ne pas voir ça ! On s'est demandé si tu reviendrais, si tu n'avais pas mis les bouts.

» — Gisèle a eu un accident ?

» — Accident mon œil ! Tu l'as bel et bien tuée, oui. En prenant soin de ne pas être présent quand ça se passerait.

Le lieutenant de gendarmerie était arrivé en voiture.

— Qu'est-ce qu'il dit ? avait-il demandé au brigadier.

— Il joue l'innocent, comme je m'y attendais. Il n'y a rien de plus menteur que ces Italiens. A l'entendre, il n'a aucune idée de ce qui s'est passé ici.

Il n'y avait guère plus de sympathie chez le lieutenant que chez son subordonné, mais il s'efforçait de rester calme et froid.

— D'où venez-vous ?

— De Poitiers.

— Qu'avez-vous fait de la journée ? On a essayé de vous atteindre un peu partout.

— A quelle heure ?

— A partir de quatre heures et demie.

— Que s'est-il passé à quatre heures et demie ?

— Le docteur Riquet nous a téléphoné.

Sur le moment, Tony s'y perdait.

— Dites-moi, lieutenant, qu'est-il arrivé au juste ? Ma femme a eu un accident ?

Le lieutenant Joris l'avait alors regardé dans les yeux.

— Vous jouez la comédie ?

— Je vous jure que non, sur la tête de ma fille. De grâce, dites-moi comment va ma femme. Elle est vivante ?

Lui aussi regardait sa montre.

— Elle vivait encore il y a trois quarts d'heure. J'étais à son chevet.

— Elle est morte !

Il ne parvenait pas à le croire. On entendait des bruits insolites dans la maison, des pas lourds au premier étage.

— Que font, chez moi, tous ces hommes ?

— Ils perquisitionnent, encore que nous ayons trouvé ce que nous cherchions.

— Je veux voir ma femme.

— Vous ferez ce que nous vous commanderons. Dès maintenant, vous êtes en état d'arrestation, Antoine Falcone.

— De quoi m'accuse-t-on ?

— C'est moi qui pose les questions.

Effondré sur sa chaise, il se tenait la tête dans les mains. Toujours sans rien savoir de précis, il avait été obligé de fournir son emploi du temps depuis son réveil.

— Vous avouez que c'est vous qui avez apporté ce pot de confiture ?

— Oui. Bien sûr.

— Votre femme vous l'avait demandé ?

— Non. Elle m'avait demandé d'acheter du sucre et de la lessive. C'est Andrée Despierre qui m'a remis la confiture que Gisèle, paraît-il, réclamait depuis quinze jours.

— Vous êtes revenu directement de l'épicerie ?

L'arrêt à la gare... Le piston de rechange...

— Il s'agit bien de ce pot-ci ?

On le lui fourrait sous le nez. Le pot avait été ouvert et largement entamé.

— Je crois. L'étiquette est la même.

— Vous l'avez remis en main propre à votre femme ?

— Je l'ai posé sur la table de la cuisine.

— Sans rien dire ?

— Je n'ai pas jugé utile d'en parler. Ma femme était occupée à ramasser le linge dans le jardin.

— Quand avez-vous pénétré pour la dernière fois dans votre hangar ?

— Ce matin, un peu avant huit heures, pour y prendre ma voiture.

— Vous n'y avez rien pris d'autre ? Vous étiez seul ?

— Ma fille m'attendait devant la maison.

Tout cela était à la fois si près et si loin ! La journée entière, avec ses allées et venues, devenait irréelle.

— Et ceci, Falcone, le reconnaissez-vous ?

Il regardait la boîte, qui lui était familière, car elle se trouvait depuis quatre ans sur la plus haute étagère du hangar.

— Cela doit être à moi, oui.

— Que contient cette boîte ?

— Du poison.

— Vous savez quel poison ?

— De l'arsenic ou de la strychnine. C'était la première année que nous vivions ici. A l'emplacement du hangar, il y avait auparavant un champ d'épandage où le boucher se débarrassait des abats. Les rats ont gardé l'habitude d'y venir et Mme Despierrre...

— Un instant. Laquelle ? La vieille ou la jeune ?

— La mère. Elle m'a fourni le même poison qu'elle vend à tous les fermiers. Je ne me souviens plus si c'est...

— C'est de la strychnine. Quelle quantité en avez-vous mélangé à la confiture ?

Tony n'était pas devenu fou. Il n'avait pas hurlé non plus, mais il s'était cassé une dent à force de serrer les mâchoires.

— A quelle heure, normalement, votre femme aurait-elle mangé de la confiture ?

Il parvenait à répondre, dans une sorte d'état second :

— Vers dix heures.

Depuis qu'ils habitaient la campagne et qu'elle se levait tôt, Gisèle avait l'habitude de faire une collation au milieu de la matinée. Avant que Marianne fréquente l'école, elles la prenaient ensemble, comme, l'après-midi, au retour de l'enfant, elles prenaient encore le goûter.

— Vous le saviez donc !

— Je savais quoi ?

— Qu'elle mangerait de la confiture à dix heures. Connaissez-vous la dose mortelle de strychnine ? Deux centigrammes. Sans doute n'ignorez-vous pas non plus que, dix à quinze minutes après l'ingurgitation, le poison commence à agir et provoque les premières convulsions. Où étiez-vous, à dix heures ?

— Je sortais de chez mon frère.

— Votre femme, elle, était étendue sur le carreau de la cuisine. Elle allait rester seule dans la maison, sans secours, jusqu'à l'arrivée de votre fille, qui quitte l'école à quatre heures. Elle a donc agonisé pendant six heures avant qu'on puisse lui venir en aide. C'était bien organisé, n'est-ce pas ?

— Mais vous dites qu'elle est morte ?

— Oui, Falcone. Je ne crois rien vous apprendre. Il est probable qu'après la première crise elle a connu un certain répit. Le docteur Riquet le pense. J'ignore pourquoi elle n'en a pas profité pour appeler. Ensuite, quand les convulsions ont repris, il n'y avait plus de rémission possible.

» En rentrant un peu après quatre heures, votre fille a trouvé sa mère couchée par terre, dans un état que je préfère ne pas vous décrire. Elle est sortie de la maison en courant et elle est allée frapper des poings, affolée, à la porte des demoiselles Molard. Léonore est venue voir et a téléphoné au docteur. Où étiez-vous, à quatre heures et quart ?

— Dans un cinéma de Poitiers.

— Riquet a diagnostiqué un empoisonnement et a demandé à l'hôpital d'envoyer une ambulance. Il était trop tard pour procéder à un lavage d'estomac et on ne pouvait qu'administrer des calmants.

» C'est Riquet aussi qui m'a téléphoné et m'a parlé du pot de confiture. En attendant l'ambulance, il avait fureté dans la cuisine. Le pain, le couteau, une tasse contenant un reste de café au lait, une assiette avec des traces de confiture étaient encore sur la table. Il a goûté du bout de la langue.

— Je veux la voir ! Je veux voir ma fille !

— Pour votre fille, ce n'est pas le moment, car vous risqueriez d'être écharpé par la foule. Léonore n'a rien eu de plus pressé que de courir de porte en porte pour annoncer la nouvelle. Mes hommes, en visitant le hangar, ont découvert cette boîte de strychnine et j'ai pris contact avec le procureur de la République à Poitiers.

» Maintenant, Falcone, vous allez m'accompagner. Nous serons mieux à la gendarmerie pour reprendre cet interrogatoire selon les règles. Comme il est improbable que vous remettiez les pieds ici de longtemps, je vous conseille d'emporter une valise avec du linge et vos objets personnels. Je monte avec vous.

Question après question, Diem l'obligeait à recommencer ce récit, à évoquer son départ de Saint-Justin-du-Loup, une valise à la main, à travers la masse de curieux que les gendarmes écartaient et qui grondaient sur son passage ; d'autres le regardaient avec des yeux effrayés comme si de découvrir qu'il existait un assassin dans le village les faisait penser qu'ils auraient pu être la victime.

— La loi exige que vous reconnaissiez le corps.

Il avait dû attendre, dans un couloir de l'hôpital, en compagnie du lieutenant et d'un gendarme. On lui avait déjà passé les menottes. Il n'y était pas encore habitué et elles lui faisaient mal à chaque mouvement brusque.

Diem prononçait en l'observant avec une attention particulière :

— Devant le corps de votre femme, dont on venait de terminer la toilette, vous êtes resté immobile, vous tenant à plusieurs pas, sans une parole. N'est-ce pas l'attitude d'un coupable, monsieur Falcone ?

Comment expliquer au juge qu'à ce moment-là, dans son for intérieur, il se sentait en effet coupable ? Il essaya, d'une façon indirecte.

— Elle est quand même morte par ma faute.

7

Cet interrogatoire-là, dans le cabinet du juge d'instruction Diem, devait être le dernier. Peut-être le magistrat avait-il l'intention de questionner encore Tony sur un certain nombre de points, ou de le confronter à nouveau avec Andrée ? Les nouvelles qu'on lui donna de l'état du prévenu l'inclinèrent à ne pas insister.

Deux jours plus tard, déjà, le professeur Bigot avait trouvé, dans sa cellule, un homme indifférent à ce qu'on lui disait, indifférent à tout, qui paraissait ne plus mener qu'une vie végétative.

Sa tension artérielle avait beaucoup baissé et le psychiatre l'avait envoyé en observation à l'infirmerie où, malgré une médicamentation massive, l'état du prisonnier ne s'était guère amélioré.

Il dormait, mangeait, répondait de son mieux quand on lui parlait, mais d'une voix neutre, impersonnelle.

La visite de son frère ne l'avait pas arraché à sa prostration. Tony le regardait avec étonnement, surpris, semblait-il, de voir Vincent, tel qu'il le connaissait, tel qu'il était dans son café de Triant, surgir dans l'univers si différent de l'infirmerie.

— Tu n'as pas le droit de te laisser abattre, Tony. N'oublie pas que tu as une fille et que nous sommes tous avec toi.

A quoi bon ?

— Marianne s'habitue fort bien à la vie de la maison. Au début, nous l'avions mise à l'école.

Il avait questionné sans passion :

— On lui a dit ?

— Il était impossible d'empêcher ses camarades de parler. Elle m'a demandé un soir :

» — C'est vrai que pap a tué maman ?

» Je l'ai rassurée. Je lui ai affirmé que non.

» — Il est quand même un assassin ?

» — Mais non, puisqu'il n'a tué personne.

» — Alors, pourquoi met-on son portrait dans le journal ?

» Tu vois, Tony. Au fond, elle ne comprend pas, ne souffre pas.

Etait-on fin mai, ou début juin ? Il ne comptait plus les jours, ni les semaines, et quand maître Demarié vint lui annoncer que la chambre de mises en accusation l'avait inculpé, ainsi qu'Andrée, du meurtre de Nicolas et de Gisèle, il n'avait pas réagi.

— Ils ont préféré confondre les deux affaires, ce qui va rendre la défense plus difficile.

Son état restait stationnaire. On l'avait renvoyé dans

sa cellule et il menait, sans révolte, avec, au contraire, une docilité surprenante, la vie monotone des détenus.

Du jour au lendemain, les visites cessèrent, le vide se fit, les geôliers eux-mêmes furent moins nombreux. Les vacances judiciaires avaient commencé en même temps que les vacances tout court et des centaines de milliers de gens parcouraient les routes, se précipitaient vers les plages, la montagne, les coins perdus de campagne.

Les journaux s'étaient fait l'écho d'une querelle qui, laissaient-ils entendre, dominerait le procès, la querelle des experts.

Lorsque, à la suite d'une lettre anonyme, puis d'une enquête à Triant, qui avait confirmé les relations entre Tony et Andrée, on avait exhumé le corps de Nicolas, les premières analyses avaient été confiées à un spécialiste de Poitiers, le docteur Gendre.

Celui-ci, dans son rapport, concluait à une ingestion massive de strychnine et un mandat d'arrêt avait été lancé contre Andrée Despierre, une douzaine de jours après l'emprisonnement de Tony.

L'avocat qu'elle avait choisi, maître Capade, avait fait appel à un spécialiste parisien de renommée mondiale, le professeur Schwartz, et celui-ci, après avoir sévèrement critiqué les travaux de son confrère, était arrivé à des conclusions moins catégoriques.

En trois mois, Nicolas avait été exhumé deux fois et il était question de l'exhumer à nouveau, car le laboratoire de police scientifique de Lyon, requis à son tour, réclamait d'autres prélèvements.

On discutait aussi des cachets de bromure que l'épicier de Saint-Justin prenait chaque soir quand il sentait venir une crise. Le pharmacien de Triant qui les fournissait avait été entendu et confirmait que les deux moitiés de ces cachets n'étaient pas collées ensemble, de sorte qu'il était facile de les ouvrir comme une boîte et d'y introduire n'importe quel produit.

En quoi cela concernait-il Tony ? Il ne se demandait même plus s'il serait reconnu coupable ou non, ni, le cas échéant, quelle serait sa peine.

La foule qui se pressait dans la salle des assises, le 14 octobre, les avocats venus en grand nombre semblaient surpris par son attitude et des journaux parlèrent d'insensibilité et de cynisme.

Ils étaient assis sur le même banc, Andrée et lui, séparés par un gendarme, et Andrée lui avait dit en se penchant un peu en avant :

— Bonjour, Tony !

Il n'avait pas détourné la tête, ni tressailli en entendant sa voix.

En contrebas, à un autre banc, les défenseurs et leurs secrétaires s'affairaient. Outre maître Capade, Andrée avait engagé un des ténors du Barreau parisien, maître Follier, que la foule dévorait des yeux comme elle l'aurait fait d'une vedette de l'écran.

Le président avait de beaux cheveux gris et soyeux ;

un de ses assesseurs, très jeune, ne paraissait pas à son aise et l'autre passait son temps à crayonner.

Tony enregistrait les images, sans les rattacher à lui, un peu comme les paysages qu'on voit défiler par les vitres d'un train. Les jurés le fascinaient et il les fixait tour à tour pendant de longs moments, de sorte qu'à la seconde audience les moindres détails de leur physionomie lui étaient familiers.

Debout, dans une attitude respectueuse, il subit l'interrogatoire préliminaire et il répondait du bout des lèvres sur le même ton qu'il prenait jadis au catéchisme. Ne récitait-il pas par cœur, ici aussi, les réponses qu'il avait tant de fois fournies ?

On fit d'abord comparaître une vieille femme, celle qu'on appelait la Louchote, et on découvrit qu'elle avait été la première, un jour qu'elle sortait de la gare de Triant, à voir Andrée pénétrer par la petite porte de l'Hôtel des Voyageurs.

Le hasard avait voulu qu'elle repasse deux heures plus tard par la rue Gambetta, à l'instant où la jeune femme sortait de l'hôtel et que, entrant dans le café parce qu'elle était en avance pour le train du retour, la Louchote s'y trouve en présence de Tony.

Tout était parti de là, toutes les rumeurs dont Falcone n'avait eu la révélation que beaucoup plus tard. C'était l'inspecteur Mani qui avait remonté patiemment la filière et qui était parvenu enfin jusqu'à la Louchote.

D'autres défilaient, des hommes, des femmes qu'il

connaissait, beaucoup qu'il appelait par leur prénom, quelques-uns qu'il tutoyait pour avoir été à l'école avec eux. Ils s'étaient habillés comme pour la messe du dimanche et parfois leurs réponses, ou le comique involontaire de leur attitude, provoquaient les rires du public.

Le vieil Angelo était là, immobile, impassible, au second rang, et pendant tout le procès il devait occuper la même place. Vincent le rejoindrait après sa déposition et, en attendant, il devait rester dans la salle des témoins où Françoise se trouvait aussi, ainsi que la mère Despierre.

— Vous êtes le frère de l'accusé et, en cette qualité, vous ne pouvez prêter serment.

Il faisait très chaud dans la salle où régnait une odeur de foule mal lavée. Une jeune et jolie avocate, secrétaire de maître Capade, passait des pastilles de menthe à son patron. Il lui arriva de se retourner pour en offrir à Andrée, puis, après une hésitation, à Tony.

De tout cela, encore une fois, il ne gardait que des images disparates, des nez, des yeux, des sourires, des bouches entrouvertes sur des dents jaunies, le rouge inattendu d'un chapeau de femme, des phrases aussi, qu'il ne se donnait pas la peine de mettre bout à bout pour leur trouver un sens.

— Une fois par mois environ, dites-vous, votre frère Tony rejoignait l'accusée dans une chambre de votre hôtel qui porte le n° 3, mais que vous appeliez la chambre bleue. Etait-il dans vos habitudes d'abriter ainsi dans votre établissement des couples clandestins ?

Pauvre Vincent, qu'on insultait publiquement, alors qu'il avait toujours supplié son frère de mettre fin à cette aventure !

Il y avait eu une autre phrase du président, au cours de l'interrogatoire de Tony.

— Vous étiez si passionnément amoureux d'Andrée Despierre que vous n'avez pas hésité à cacher vos amours coupables sous le toit de votre frère et de votre belle-sœur.

C'était un hôtel, non ? Il lui arrivait de sourire malgré lui, comme s'il n'était pas dans le coup. Le président cherchait les formules frappantes, ironiques ou cruelles, sachant que les reporters étaient à l'affût et que les journaux les reproduiraient.

Alors, jaloux, le célèbre avocat de Paris éprouvait le besoin de se lever pour lancer une observation percutante.

Maître Demarié avait conseillé à Tony de choisir, lui aussi, un second défenseur, mais il avait refusé.

Il était convaincu que tout cela était inutile. On recommençait, pour les jurés et le public, la longue histoire déjà évoquée dans le cabinet du juge Diem.

C'était plus solennel, avec plus de formules rituelles, de fioritures, plus d'acteurs et de figurants, mais le fond restait identique.

On reprenait les dates une à une, les allées et venues de chacun et, quand on en arriva aux lettres, ce fut le grand branle-bas, non seulement entre l'accusation et la défense, mais entre les avocats. Chaque mot était décortiqué et maître Follier brandit même un volume du Littré pour énumérer les sens différents de certains mots que chacun prononce tous les jours.

Andrée, vêtue de noir, suivait les débats avec plus de passion que lui et se penchait parfois pour le prendre à témoin ou pour lui sourire.

La bataille des experts n'eut lieu que le troisième jour.

— Jusqu'ici, dit le président, j'avais toujours pensé que la loi réglementait sévèrement la vente des poisons et qu'il n'était possible de s'en procurer que sur ordonnance médicale. Or, que voyons-nous dans cette affaire ?

» Dans un hangar, qui reste ouvert toute la journée, une vieille boîte à cacao contient plus de cinquante grammes de strychnine, c'est-à-dire suffisamment, si j'en crois les traités de toxicologie, pour tuer une vingtaine de personnes.

» A l'épicerie Despierre, dans l'arrière-boutique, voisinant avec des aliments, nous découvrons deux kilos, vous entendez, deux kilos du même poison ainsi qu'une quantité aussi importante d'arsenic.

— Nous le déplorons tous, répliquait un des experts, mais c'est malheureusement la loi. Si la vente en pharmacie des produits toxiques est strictement réglementée, ceux qui servent à détruire les animaux nuisibles sont vendus librement dans les coopératives agricoles, les drogueries et certains magasins de campagne.

Ils étaient tous là, matin et soir, à la même place, les magistrats, les jurés, les avocats, les gendarmes, les journalistes et même les curieux, qui devaient avoir un moyen de retenir leur siège, et que les témoins, l'un après l'autre, allaient retrouver après leur petit tour à la barre.

De temps en temps, un des avocats massés près de la petite porte se glissait dehors pour aller défendre un client dans une autre chambre et, pendant les suspensions d'audience, la salle était envahie par un bruit de récréation.

On emmenait alors Tony dans une pièce sombre où l'unique fenêtre s'ouvrait à trois mètres du sol, tandis qu'Andrée se trouvait sans doute dans une autre pièce semblable. Demarié lui apportait des sodas. Les magistrats devaient boire aussi. Puis une sonnerie ramenait chacun à sa place, comme au théâtre ou au cinéma.

La mère Despierre, plus crayeuse que jamais, fit une entrée à sensation. Et, avec elle, le président prit une voix plus douce, car elle faisait en quelque sorte partie des victimes.

— Je n'ai jamais encouragé mon fils à ce mariage, sachant qu'il n'en sortirait rien de bon. Par malheur, il aimait cette femme, et je n'ai pas eu le courage de m'opposer à...

Pourquoi se rappelait-il une phrase plutôt qu'une autre ?

— Je suis obligé, madame, de vous rappeler de tristes souvenirs et d'évoquer la mort de votre fils.

— Si elle ne m'avait pas poussée hors de ma propre maison, j'aurais veillé sur lui et rien ne serait arrivé. Voyez-vous, cette fille ne l'a jamais aimé. Elle n'en voulait qu'à notre argent. Elle savait qu'il ne vivrait pas vieux. Quand elle a pris un amant...

— Vous étiez au courant de sa liaison avec l'accusé ?

— Comme tout le monde à Saint-Justin, sauf mon pauvre Nicolas.

— Au mois d'août de l'année dernière, il paraît avoir eu des soupçons.

— J'espérais bien qu'il les prendrait sur le fait et qu'il la jetterait à la porte. Au lieu de ça, elle est parvenue à l'emberlificoter.

— Quelle a été votre réaction en voyant votre fils mort ?

— J'ai tout de suite soupçonné qu'il n'avait pas succombé à une de ses crises, mais que sa femme y était pour quelque chose.

— Bien entendu, vous n'aviez pas de preuves.

— J'attendais qu'ils s'en prennent à sa femme à lui.

Elle désignait Tony du doigt.

— Cela ne pouvait manquer. Et l'avenir m'a donné raison.

— N'est-ce pas vous qui, deux jours après la mort de Mme Falcone, avez envoyé une lettre anonyme au procureur ?

— Les experts n'ont pas reconnu formellement mon écriture. Cela peut être n'importe qui.

— Parlez-nous du colis qui contenait le pot de confiture. Qui l'a reçu au magasin ?

— Moi. La veille, c'est-à-dire le mardi 16 février.

— Vous l'avez ouvert ?

— Non. Je savais, par l'étiquette, ce qu'il contenait et je l'ai rangé dans l'arrière-magasin.

Ce fut un des rares moments où Tony se montra attentif. Il n'était pas le seul à attacher à cette déposition un intérêt particulier et son avocat s'était levé, puis avancé de deux pas, comme pour mieux entendre, peut-être, en réalité dans le vain espoir de démonter le témoin.

Des réponses qu'allait faire Mme Despierre dépendait, en grande partie, le sort de Tony.

— Le matin, à quelle heure êtes-vous allée au magasin ?

— Le matin du 17 ? A sept heures, comme les autres jours.

— Vous avez vu le colis ?

— Il était toujours à la même place.

— Avec sa ficelle intacte et sa bande de papier gommé ?

— Oui.

— Vous êtes restée au comptoir jusqu'à huit heures moins dix, heure à laquelle votre belle-fille a pris votre place, et vous êtes allée chez vous manger un morceau. Est-ce exact ?

— C'est la vérité.

— Combien de personnes se trouvaient dans le magasin quand vous l'avez quitté ?

— Quatre. Je venais de servir Marguerite Chauchois quand j'ai vu cet homme traverser la rue et se diriger vers chez nous. Je suis rentrée par le jardin.

Elle mentait. Et elle ne pouvait résister au désir de défier Tony du regard. Si le colis était ouvert à ce moment-là, comme il l'était certainement, à plus forte raison s'il était ouvert depuis la veille, ce qui était probable, Andrée avait eu tout le loisir de mélanger le poison à la confiture d'un des pots.

Si le paquet n'était pas défait, au contraire, elle n'avait pas eu le temps matériel de procéder à cette opération pendant les deux minutes à peine qu'il était resté dans la boutique.

Il ne suffisait pas à la mère Despierre qu'Andrée paie pour la mort de Nicolas. Il fallait que Tony paie aussi.

— Je voudrais faire remarquer... commença maître Demarié, tandis qu'une rumeur montait de la salle.

— Vous aurez tout le loisir d'exposer votre point de vue aux jurés au cours de votre plaidoirie.

Tony ne voyait pas Andrée. Les journaux prétendirent qu'à cet instant elle avait souri et l'un d'eux parla d'un sourire gourmand.

Tout au fond, à gauche de la sortie, il découvrit pour la première fois les demoiselles Molard, avec des robes et des chapeaux semblables, tenant un sac identique sur leurs genoux, le visage plus que jamais lunaire dans l'éclairage glauque de la salle.

Au cours de son interrogatoire préliminaire qui avait précédé celui de Tony, Andrée avait déclaré fièrement, ou plutôt elle avait lancé à la Cour et au public, comme une profession de foi :

— Je n'ai pas empoisonné mon mari, mais je l'aurais peut-être fait s'il avait trop tardé à mourir. J'aimais Tony et je l'aime encore.

— Comment comptiez-vous vous débarrasser de Mme Falcone ?

— Cela ne me regardait pas. Je l'ai écrit à Tony. Je lui ai dit : *A toi !* et j'ai attendu, confiante.

— Attendu quoi ?

— Qu'il se rende libre, comme nous avions décidé qu'il le ferait dès que je le deviendrais moi-même.

— Vous n'avez pas envisagé qu'il la tuerait ?

Alors, tête haute, elle avait prononcé de sa belle voix rauque :

— Nous nous aimons !

Le tumulte avait été tel que le président avait menacé de faire évacuer le prétoire.

Tout était joué, depuis le premier jour. Et, le premier jour, ce n'était pas celui de la mort de Nicolas, ni le jour du martyre de Gisèle.

Le premier jour, c'était le 2 août de l'année précédente, dans la chambre bleue grésillante de soleil où Tony se dressait, nu et satisfait de lui, devant le miroir qui lui renvoyait l'image d'une Andrée comme écartelée.

— *Je t'ai fait mal ?*

— *Non.*

— *Tu m'en veux ?*

— *Non.*

— *Ta femme ne va pas te poser de questions ?*

— *Je ne crois pas.*

— *Elle t'en pose parfois ?*

Gisèle vivait encore et, peu de temps après avoir prononcé ces paroles, il la retrouverait avec Marianne dans leur maison neuve.

— *Tu as un beau dos. Tu m'aimes, Tony ?*

— *Je crois.*

— *Tu n'en es pas sûr ?*

L'avait-il aimée ? Un gendarme le séparait d'elle et elle se penchait de temps en temps pour le regarder avec la même expression que dans la chambre de Triant.

— *Tu aimerais passer toute ta vie avec moi ?*

— *Bien sûr !*

Les mots n'avaient plus de sens. Or, c'était de cela qu'ils s'occupaient avec une solennité ridicule, de choses qui n'existaient pas, d'un homme qui n'existait pas davantage.

L'avocat général parlait pendant un après-midi entier pour finir, le visage en sueur, par demander la peine capitale pour les deux accusés.

Toute la journée du lendemain fut consacrée aux

plaidoiries et il était huit heures du soir quand les jurés entrèrent en délibération.

— Il nous reste une chance, déclarait maître Demarié en arpentant la petite pièce où Tony était le plus calme des deux.

L'avocat croyait-il en son innocence ? Doutait-il ? Cela n'avait pas d'importance. Il regardait sans cesse l'heure à sa montre. A neuf heures et demie, la sonnerie annonçant la reprise de l'audience n'avait pas encore retenti dans les couloirs.

— C'est bon signe. En général, lorsque les délibérations se prolongent, cela signifie...

Ils attendirent encore une demi-heure, puis chacun retrouva sa place. Une des lampes du plafond était grillée.

— Je rappelle au public que je ne tolérerai aucune manifestation.

Le président du jury se levait, une feuille de papier à la main.

— ... en ce qui concerne Andrée Despierre, née Formier, la réponse du jury à la première question est : oui. A la seconde question : oui. A la troisième et à la quatrième question : non.

Elle était reconnue coupable du meurtre de son mari, avec préméditation, mais innocente de la mort de Gisèle.

— ... en ce qui concerne Antoine Falcone, la réponse du jury...

On l'innocentait de la mort de Nicolas, mais on lui

imputait celle de sa femme et, pour lui aussi, la préméditation était retenue.

Tandis que le président du tribunal parlait à voix basse à ses assesseurs, penché tantôt vers l'un, tantôt vers l'autre, il se fit un silence tout frémissant d'impatience.

Enfin, le président prononçait le verdict. Pour les deux accusés, la peine de mort commuée, sur la recommandation du jury, en travaux forcés à perpétuité.

Dans le tumulte qui suivit, et tandis que tout le monde se levait à la fois, que des gens s'interpellaient d'un bout à l'autre du prétoire, Andrée se mettait debout, elle aussi, et se tournait lentement vers Tony.

Il fut incapable, cette fois, de détourner la tête, tant son visage le fascinait. Jamais, aux moments où leurs chairs étaient le plus unies, il ne l'avait vue si belle et si radieuse. Jamais sa bouche pulpeuse ne lui avait souri ainsi, exprimant le triomphe de l'amour. Jamais, en un regard, elle ne l'avait absorbé aussi complètement.

— Tu vois, Tony, lui cria-t-elle, ils ne nous ont pas séparés !

Noland (Vaud), le 25 juin 1963.

IMPRESSION
IMPRIMERIE GAGNÉ

IMPRIMÉ AU CANADA